GEHEIM BEZOEK!

Copyright © 2010 bij Uitgeverij De Eekhoorn BV, Oud-Beijerland

CIP-gegevens Koninklijke Bibliotheek, Den Haag

Kan Hemmink, Henriëtte

Pony Friends deel 15: Geheim bezoek! / Henriëtte Kan Hemmink
Internet: www.eekhoorn.com
Omslagillustratie: Melanie Broekhoven
Eindredactie: Cindy Klompenhouwer
Grafische vormgeving: Solid-ontwerp.nl

ISBN 978-90-454-1466-9 / NUR 283

PONY FRIENDS

GEHEIM BEZOEK!

Henriëtte Kan Hemmink

Omslagillustratie
Melanie Broekhoven

 **De Eekhoorn**

Reeds verschenen in de serie

PONY FRIENDS

INHOUD

HOOFDSTUK EEN

Wat?

Roerloos zit het meisje vanaf de leuning van de grote bank naar buiten te kijken.

In de tuin staan een man en een vrouw.

Dichtbij elkaar.

Als ze praten, ontsnappen kleine witte wolkjes tussen hun lippen door de koude buitenlucht in.

Het meisje kijkt aandachtig.

Plotseling staat ze op en loopt de kamer uit. In de deuropening tuurt ze over haar schouder nog eens naar buiten.

Ze zijn er nog steeds; haar moeder en stiefvader.

Zal ze het doen?

Met de winterjas over haar schouders geslagen haast ze zich naar de achterdeur.

Het is koud.

Op het terras blijft ze staan. Ze zien haar niet.

'I prefer to go to London for Christmas,' hoort ze haar moeder zeggen.

Het meisje schrikt.

Naar Londen?!

'Een geweldig plan,' antwoordt hij in het Engels. 'Ze springt

vast een gat in de lucht. Mag ze het weten?'
'Nee! Het is een verrassing.'
Ze glimlachen, als samenzweerders.

Het meisje gaat terug naar binnen en gooit haar jas over de leuning van een stoel.

Ze wil helemaal niet naar Londen.

Hoe maakt ze duidelijk dat ze andere plannen heeft?

HOOFDSTUK TWEE

Griezelig

Liza Lienhout loopt over het tuinpad naar de achterzijde van de grote woning.
Ze hoort binnen de telefoon overgaan en versnelt haar pas.
De deur is dicht. Dat had ze kunnen weten.
Het rinkelen is gestopt.
Als het belangrijk is, belt de persoon terug, denkt ze.
Uit haar broekzak diept ze de sleutel op.
Eenmaal binnen is het koud en stil.
'Iemand thuis?' Grijnzend maakt ze van haar handen een kommetje en blaast er warme lucht in.
Met grote passen loopt ze rechtstreeks naar de thermostaat en draait die een paar graden hoger.
Haar ouders werken vaak de hele dag in het hotel. Het is onzin om de woning te verwarmen, terwijl er niemand is.
Liza woont bijna een half jaar in Burchtwaarde. Aansluiting in groep acht vindt ze niet echt. Haar nieuwe klasgenoten zijn niet in haar geïnteresseerd. Ze is en blijft in hun ogen de nieuwe van groep acht.
Gelukkig is Binky er! De bruine pony die ze samen met Femke verzorgt. En natuurlijk Sofietje! De Shetlander die

Binky sinds kort gezelschap houdt. Sofietje is voor een tijdje naar de kinderboerderij. De eigenaar had gevraagd of Sofietje daar een poosje mocht logeren in verband met een project over Shetlanders. Liza en Femke hebben even getwijfeld, maar hebben ja gezegd. Ze kunnen naar haar toe wanneer ze willen. Ook Binky mist zijn vriendinnetje, maar het lijkt alsof hij aanvoelt dat het maar voor even is.

De meisjes noemen zich Pony Friends! Eerst deden ze dat voor de grap, maar het is nu gewoon hun naam geworden.

Dat haar klasgenoten bijna nooit met haar afspreken, vindt ze niet erg meer. Ze heeft het fijn met Femke en Binky.

Even bekruipt haar een vervelend gevoel.

Hoe zal het straks allemaal gaan?

Een paar dagen geleden, tijdens de Sinterklaasintocht hebben Femke en Niels, beiden verkleed als Zwarte Piet, elkaar voor het eerst gezoend. Vanaf dat moment hebben ze officieel verkering.

'Hoe vond je het zoenen?' vroeg ze later aan haar vriendin.

'Het ging heel snel.'

'Dat is geen antwoord.'

'Ik weet het niet meer,' gaf Femke panisch toe. 'Het gebeurde opeens.'

Heftig!

Femke en Niels zijn dus vreselijk verliefd!

Natuurlijk vindt Liza het leuk voor haar broer en Femke. Toch moet ze er aan wennen.

Betekent dat hun verliefdheid alles zal veranderen?

Hoeveel tijd heeft Femke nog voor haar en Binky?

Verliefde mensen hebben alleen maar oog voor elkaar.

Blijven de Pony Friends bestaan?

Maakt ze zich zorgen om niets?

Binky, de bruine IJslander, is en blijft haar trouwste vriend.

Het is heerlijk om een arm om zijn hals te slaan en haar hoofd tegen zijn warme vacht te vlijen. Bij hem voelt ze zich veilig. Dat gevoel kan ze niemand uitleggen. Alleen mensen die een band met een pony hebben, begrijpen wat ze bedoelt.
Vanmiddag heeft ze niet met Femke afgesproken. Eigenlijk is het een vanzelfsprekendheid geworden dat Liza en Femke elkaar na schooltijd bij Binky treffen. Natuurlijk zijn er uitzonderingen; een verjaardagfeest, bezoek aan de tandarts of een repetitie die geleerd moet worden.
Femke is dertien en zit in de brugklas van het Burchtwaarde College.
Hoewel het Liza best leuk lijkt om naar de brugklas te gaan, is ze er niet echt mee bezig.
Ze geniet van Binky!
Liza had nooit kunnen bedenken dat ze zoveel van een pony zou gaan houden. Tot voor kort had ze nooit pony gereden. Wanneer ze vroeger een pony zag, liep ze er liever met een grote boog omheen. Pony's waren in haar beleving grote onbetrouwbare dieren.
Een paar maanden geleden kwam ze per toeval een 'vergeten' pony op het spoor die ergens aan de andere kant van het bos, verscholen tussen bomen, in een weiland stond.
Reitze Stuivenvolt, de eigenaar van Binky, woont in een bouwvallige boerderij naast het weiland.
Hoewel hij het eerst maar niets vond dat de meisjes zijn pony wilden verzorgen, waardeerde hij hun aanwezigheid al snel. Als verrassing liet hij een tweedehands kantoorunit door een hijskraan in het weiland plaatsen.
Helemaal te gek!
Een deel is omgebouwd tot stal en voor opslag van stro, hooi en kuil. Beneden is een wc en een piepklein keukentje. Op de grote zolder, die super gezellig is ingericht, brengen de Pony

Friends heel wat tijd door. Wanneer ze onder het genot van een kop warme thee plannen maken voor de volgende dag, kunnen ze Binky vanuit het raam in het weiland zien grazen. Soms lijkt het een droom. Toch bestaat het allemaal echt: Binky, de clubzolder en de Pony Friends!

Hoe leuk Niels ook is, Binky gaat voor! Tenminste, dat vindt Liza.

Ze opent een paar kastdeurtjes en laat haar blik speurend langs de planken gaan. Uit een grote doos pakt ze een bonbon en stopt die in haar mond. Ze gaat in de kamer op de bank zitten legt haar hoofd glimlachend achterover op de rugleuning.

In het voorjaar vertelden Elles en Maarten, Liza's ouders, dat er net buiten het stadje Burchtwaarde een hotel te koop stond.

'De Oude Burcht', gebouwd op de fundamenten van een kasteel heeft een bijzondere uitstraling. Het hotel is van binnen gemoderniseerd en aangepast aan de huidige regels. Aan de buitenkant ziet het er sprookjesachtig uit.

Liza reageerde allesbehalve enthousiast toen haar ouders over hun plannen vertelden. Verhuizen, naar de andere kant van Nederland en tot overmaat van ramp haar laatste jaar op de basisschool in Burchtwaarde afmaken. Daar had ze geen zin in! Ze moest haar vriendinnen achterlaten.

Hemel en aarde heeft ze bewogen om haar ouders op andere gedachten te brengen. Maar die waren met geen mogelijkheid te vermurwen, hoe erg ze het ook vonden voor hun kinderen die naar een omgeving moesten verhuizen waar ze niemand kenden. Dat ze in een grote villa naast het hotel zou komen te wonen, maakte toen geen enkele indruk.

Ze wilde niet verhuizen.

Punt!

Met tegenzin bracht ze in de lente een eerste bezoek. Ja, en toen moest ze toegeven dat de villa en het hotel op een idyllisch plekje aan de rand van het bos lagen. Sprookjesachtige paadjes leidden naar de uitgestrekte heidevelden en een geheimzinnige vijver. Het leek wel alsof ze in een film terecht waren gekomen. Dat gevoel werd sterker toen ze de grote hal van de oude villa binnen stapten. In het midden zagen ze een grote draaitrap met rode loper waar je voeten diep in wegzakten.

Het afscheid van haar vriendinnen en haar geboorteplek was verdrietig, maar ze heeft er uiteindelijk veel voor teruggekregen.

Liza likt gesmolten chocolade van haar vingers en kijkt naar de klok.

Zal ze wachten totdat Femke hier komt of naar Binky gaan?

Liza schrikt op uit haar gedachten als de telefoon rinkelt.

Zouden haar ouders er niet aan gedacht hebben om die door te schakelen naar het hotel?

Liza blijft zitten.

Het rinkelen gaat door.

Is het iemand die één van hen dringend moet spreken?

Opeens voelt Liza een vreemde spanning in haar buik.

Alsof er iets gaat gebeuren.

'Waar is die telefoon?' Ze praat hardop en loopt zoekend van de keuken naar de kamer. 'Hebbes!' Liza duikt over een stoel en grist de telefoon van de vensterbank, waar iemand hem heeft laten liggen.

'Goedemiddag, u spreekt met Liza Lienhout,' hijgt ze in de hoorn.

Er klinkt een griezelig geruis op de lijn.

'Is daar iemand?' fluistert Liza.

Haar hart bonkt.

Er volgt een klik.
Het geruis is weg, de verbinding verbroken.

HOOFDSTUK DRIE

Bang

Langzaam zakt Liza's hand naar beneden.
Waarom werd de verbinding abrupt verbroken?
Omdat ze te lang wachtte met opnemen?
Hoorde ze door het geruis iemand ademen?
Of beeldde ze zich dat in?
Waarom bonkt haar hart?
Het is vaker gebeurd dat ze de telefoon te laat opnam en de persoon aan de andere kant op dat moment de verbinding verbrak.
Helemaal niet eng.
Toch voelt de stilte in het grote stille huis anders.
Liza kijkt om zich heen.
Het is bijna vier uur.
Femke is in geen velden of wegen te bekennen.
Ze neemt kleine slokjes van haar melk, terwijl ze in gedachten voor het keukenraam blijft staan.
Tussen de bomen door kijkt ze naar de binnenplaats, die de villa van het hotel scheidt.
Het oude gebouw aan de andere kant van het pleintje ademt de sfeer van vroeger. Dat geldt niet alleen voor de buiten-

kant. Hoewel er binnen aanpassingen hebben plaatsgevonden, is er veel van vroeger bewaard gebleven. In de brede gangen met lambrisering ligt hoogpolig tapijt. Overal in het hotel hangen oude kroonluchters. Het antieke meubilair en de dieprode velours gordijnen die tot aan de grond reiken, geven de gasten bij binnenkomst het gevoel terug in de tijd te gaan.

Ze gaat naar haar kamer om zich om te kleden.

Vijf minuten later rent ze in paardrijkleding naar de achteringang van het hotel om haar ouders te vertellen dat ze naar Binky gaat. Door het raam van de keuken ziet ze Sonja en twee mensen van de bediening aan een tafeltje zitten. Ze hebben pauze. Haar ouders zijn waarschijnlijk in het kantoor.

Zachtjes klopt ze op de deur.

'Kom binnen!' roept Elles uitnodigend.

'Hoi mam.'

Elles kijkt glimlachend op van haar werk. 'Hallo Liza. Leuke middag gehad?'

'Op school?' Liza staart haar moeder met gespeelde verontwaardiging aan. 'Mijn leuke middag gaat nu beginnen.'

'Hoe kon ik dat vergeten. Waar is de andere helft van de Pony Friends?'

Liza haalt zuchtend haar schouders op. 'Ik denk dat ze op Niels wacht en samen met hem deze kant op fietst.'

'Nu ze verliefd is, zal het allemaal wat anders gaan,' merkt Elles op.

'Eigenlijk vind ik het niet leuk,' biecht Liza op.

'Gelukkig is ze verliefd op Niels. Hij woont hier ook. De problemen zijn te overzien…'

'Binky staat aan de andere kant van het bos!'

'Femke laat Binky en jou niet vallen! Echt niet!'

16

'Ik weet het niet.'

'Kom op zeg!' Elles drukt zich met de bureaustoel een meter achteruit. 'Ik had niet verwacht dat je aan Femke zou twijfelen. Ze is dol op Binky, net als jij.'

'Mam, verliefde mensen doen rare dingen.'

Elles schiet in de lach. 'Femke laat haar hoofd niet zo snel op hol brengen! Ze is nuchter. Zit er maar niet over in!'

Liza schudt afkeurend het hoofd. 'Ik ben bang dat je geen gelijk hebt.'

'We praten wel met Niels,' belooft Elles. 'We geven hem instructies en vertellen hoe belangrijk het voor jou en Binky is dat Femke regelmatig naar het clubhuis gaat. Hij moet haar desnoods brengen en halen.'

'Dat wil hij vast wel,' grinnikt Liza.

Elles staat op. 'Heb je al iets gedronken?'

'Ja.'

'Zullen we samen een kop thee drinken in de hotelkeuken?'

'Ik ga naar Binky.'

'Sonja heeft chocoladecake gebakken.'

'Ik neem wel wat mee.

'Voor het donker thuis zijn.'

'Dan kan ik beter hier blijven. Om half vijf wordt het schemerig.'

'Je mag langer blijven als iemand meefietst.'

'Femke?'

'Twee meisjes alleen door een donker bos, vind ik geen prettige gedachte. Dan moet er een ouder iemand mee. Misschien haal ik jullie.'

'Stuivenvolt wil ons wel terugbrengen. Dat doet hij vaker.'

Elles steekt haar duim op. 'Anders schakelen we Niels in.'

'Waar en hoe laat eten we?' vraagt Liza vanaf de drempel.'

'Thuis. Om half acht.'

Als Liza de deur dicht duwt, herhaalt Elles nog eens dat ze niet alleen door het bos terug mag fietsen.

'Dat beloof ik!'

Ze trekt een sprintje door de stille gang naar de achterdeur.

Hardlopen in het hotel mag niet.

Maar als niemand het ziet, vindt Liza het niet erg.

Bij de deur bedenkt ze zich en gaat terug.

'Mam, de huistelefoon is niet doorgeschakeld.'

Elles trekt haar wenkbrauwen vragend op. 'Hoe dat zo?'

Liza vertelt dat de telefoon een paar keer overging. 'De eerste keer was ik te laat. Even later ging hij opnieuw. Toen ik opnam, werd de verbinding verbroken.'

Elles begrijpt niet wat het probleem is. 'Zoiets gebeurt vaker.'

Dat weet Liza, maar waarom heeft ze nu zo'n merkwaardig gevoel?

Als ze het gammele tuinhekje opent, ziet ze geen fiets van Niels of Femke achter de villa staan.

Waar blijft Femke nou?

Liza doet een warm jack aan. Uit de bijkeuken pakt ze twee winterwortels en stopt die in haar rugzak. Ze werpt nog een laatste blik door het zijraam. Femke en Niels zijn nog niet in zicht. Ze perst haar lippen op elkaar en verdwijnt naar buiten.

Als ze langs de zijkant van de villa fietst, trapt ze plots op de rem.

Krijg nou wat!

De telefoon in de zitkamer gaat weer over.

Zal ze…?

Liza aarzelt vier seconden. Dan zet ze haar voeten op de trappers en spurt weg. Alsof ze op de hielen wordt gezeten door een onzichtbare kracht.

Opgelucht haalt ze adem wanneer ze tien minuten later via

een slingerend bospaadje het weiland nadert en een glimp van de bruine IJslander opvangt.

'Binky!' roept ze uit de verte.

De pony hoort haar meteen

Hij spitst zijn oren en draaft dwars door het weiland in haar richting.

Haastig zet Liza de fiets tegen een boom. Terwijl ze tegen de pony praat, klimt ze over het hek.

'Dag lieve Binky,' fluistert ze. 'Ik heb je gemist.'

Opeens rollen er zomaar tranen over Liza's wangen.

Omdat ze bang is dat Femke haar in de steek laat?

Omdat alles anders wordt?

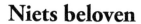

HOOFDSTUK VIER

Niets beloven

Het meisje ligt op haar knieën midden in de slaapkamer.
Naast haar staat een koffertje waarvan de inhoud over de
grond verspreidt ligt.
Geërgerd schuift ze papieren opzij. Af en toe pakt ze iets
van de vloer, bekijkt de aantekeningen aandachtig en legt het
terug in de koffer.
Keurig, op een stapel.
Haar ogen dwalen door de kamer.
Waar zou het kunnen liggen?
Zou haar moeder het weggepakt hebben?
Het meisje voelt de verontwaardiging door haar heen gaan.
Het zou zo maar kunnen.
Ze staat op en loopt naar de boekenkast. Elk boek tilt ze op.
Niets!
Wat stom!
Als ze nu niet snel iets regelt, gaat alles mis.
Het plan moet doorgaan.
Maar hoe?
Ze pakt alles bij elkaar en schuift de koffer onder haar bed.
Na een laatste blik in de rommelige la van haar bureau,

schuift ze die met een klap dicht.

Ze dacht tijd genoeg te hebben, maar nu ze het gesprek tussen haar moeder en stiefvader heeft afgeluisterd, moet ze snel in actie komen.

Vierentwintig uur om na te denken, daarna moet ze contact met iemand kunnen opnemen.

Wanneer ze haar kamer verlaat, krijgt ze een idee.

Ze gaat op het bankje bij het raam zitten en zet de nieuwe laptop op haar bovenbenen.

In het witte balkje van de zoekmachine toetst ze de naam van een hotel:

De Oude Burcht

Ze verfijnt haar zoekopdracht door de plaatsnaam erbij te tikken. Er verschijnt onmiddellijk een prachtige foto van het karakteristieke hotel omzoomd door hoge bomen op haar scherm.

Een glimlach glijdt over haar gezicht.

Misschien kan ze iets regelen via dat hotel.

Haar plan zou door kunnen gaan.

Ze haast zich naar beneden, wanneer ze haar stiefvader thuis hoort komen.

Voordat ze de kamer binnenstapt, werpt ze een snelle blik in de keuken en werkkamer. Haar moeder is nergens te zien.

'Hello!' groet ze vrolijk. 'A cup of tea?'

Natuurlijk lust hij een kop thee.

Ze schenkt twee kopjes vol en gaat dan tegenover hem op de bank zitten.

Als haar stiefvader thuis is, praten ze altijd Engels.

Na een korte aarzeling licht ze hem in over haar plannen.

Hij luistert aandachtig, zonder te onderbreken.

21

'Ik begrijp het,' antwoordt hij tenslotte.

De spanning is te snijden.

'Wil je me helpen?'

Hij staart naar de grond en roert onophoudelijk met het lepeltje door de thee. 'Ik zal mijn best doen, maar kan je niets beloven.'

HOOFDSTUK VIJF

Geen bruiloft?

Binky merkt dat Liza verdrietig is. Met grote, vragende ogen kijkt hij haar aan.
'Begrijp je wat ik voel?'
Binky maakt een zacht geluidje.
Liza vindt het heerlijk om Binky te zijn. Samen een bosrit maken, hem borstelen of met Femke op de clubzolder bij het raam zitten. 'Sinds ik je ken, lijkt alsof ik in een prachtige droom leef. Dat komt door jou, Bink.'
Binky legt zijn hoofd op haar schouder.
Liza tuurt naar het smalle pad dat aan de andere kant bij het weiland uitkomt.
Waar blijft Femke?
Ze heeft zelfs geen sms'je gestuurd.
Zou ze met Niels in de kantine van school zitten of ergens op het marktplein in een restaurant warme chocolademelk drinken?
Liza veegt met haar mouw de tranen van haar wangen.

Aan alle leuke dingen komt een eind.

Met die uitspraak is ze opgegroeid.

Ooit waren ze in een grote speeltuin. Haar ouders riepen dat het tijd was om naar huis te gaan. Ze hadden het na een uurtje wel bekeken.

'Aan alle leuken dingen komt een eind,' voegden ze er aan toe met een gezicht alsof dat de normaalste zaak van de wereld was.

Liza was vier. Ze herinnert zich dat ze nog eens op de grote rode schommel wilde. De schommel had de vorm van een boot, waarin twee kinderen tegenover elkaar konden zitten. Liza weigerde mee te gaan.

'Nog een keer! Nog een keer!' zeurde ze.

Haar ouders waren onverbiddelijk.

Liza was razend.

Ze was nú in de speeltuin, nú wilde ze schommelen. Dat ze papa 'braaf' een hand moest geven, stond haar niet aan. Ze was niet vooruit te branden. Haar vader tilde haar op. Over zijn schouder keek ze naar de rode bootschommel waar nu twee andere kinderen in zaten.

Een half jaar later gingen ze, zoals beloofd, opnieuw naar die grote speeltuin.

Ze rende direct naar de plek van de bootschommel.

Even later stond ze doodstil in het gras.

De bootschommel was verdwenen.

Daar voor in de plaats was een klimrek voor kleuters geplaatst.

'Jullie schuld!' Liza huilde van boosheid.

Dat voorval zal ze nooit vergeten.

Het heeft haar aan het denken gezet.

Natuurlijk veranderen dingen in het leven. Dat weet Liza ook. Maar de verliefdheid van Femke mag niet ten koste gaan van Binky en de Pony Friends.

Ze neemt zich voor om daarover met Femke te praten.

Ze heeft geen zin om langer te wachten. Binky moet geborsteld worden en de stal uitgemest.

Eerst gaat ze naar de boerderij van Stuivenvolt om haar komst te melden. Dan weet hij dat er iemand bij Binky is.

Reitze Stuivenvolt is midden veertig, heeft bruine ogen die schuil gaan achter een slordige bos haar dat over zijn voorhoofd valt en in zijn nek alle kanten op krult. Hij vergeet zich meestal te scheren, waardoor hij er niet aantrekkelijk uit ziet. Wie hem beter leert kennen, weet dat het een sympathieke man is.

Reitze Stuivenvolt leefde tot voor kort een teruggetrokken bestaan op zijn boerderij aan de rand van het oude landgoed. In het verleden is hij teleurgesteld door mensen, vooral zijn ex-vrouw. Door haar raakte hij zijn dochter Anne-Linde voorgoed kwijt. Na de scheiding vertrok zij met haar moeder naar het buitenland en zag hij haar jarenlang niet meer.

Toen Anne-Linde klein was, beloofde hij dat ze op haar twaalfde een pony van hem zou krijgen. Stuivenvolt heeft zich aan de afspraak gehouden, ondanks dat zijn dochter niet bij hem woont.

Liza ontdekte Binky aan het eind van de zomer in het afgelegen weiland. Ze begreep toen niet waarom Stuivenvolt een pony had.

Anne-Linde bracht in het najaar onverwachts een bezoek aan Burchtwaarde en ontmoette Binky, Liza en Femke.

De moeder van Anne-Linde wil niet dat ze contact met haar vader heeft.

Alles lijkt er op te wijzen dat Anne-Linde dat juist graag wil.

Er klinkt gestommel in de deel, achter het woongedeelte van de boerderij.

Ze bonkt op de houten deur. 'Ik ben er!' roept Liza.

De deur zwaait open.

'Hallo Liza!' groet Stuivenvolt.

Hij ziet er niet uit; ongeschoren en zwarte vegen op zijn gezicht.

'Ben je alleen?'

Liza knikt.

Hij ziet meteen dat er iets aan de hand is. 'Problemen?'

'Ach...' Liza haalt haar schouders op.

'De dames hebben toch geen ruzie?'

'Nee, hoor,' antwoordt Liza geruststellend. 'Femke is besmet met hetzelfde virus als u.'

Stuivenvolt lacht. 'Wat vreselijk.'

'Voor mij wel.'

'We wisten allemaal dat dit zou gebeuren.'

Liza knikt bevestigend. De liefde hing al weken in de lucht.

'Ze heeft niets van zich laten horen.'

'Als je verliefd bent, vergeet je de tijd. Ik ben ervaringsdeskundige!'

'Niet leuk.'

'Ik vind van wel.'

Liza kijkt hem verbaasd aan.

'Verliefd zijn, bedoel ik.'

'U boft met Sonja,' lacht ze. 'Is er al een datum geprikt?'

Stuivenvolts gezicht betrekt. 'Ik heb geen reactie van mijn dochter gehad.'

'Haar moeder?'

Hij klemt zijn kaken op elkaar.

'Wij hebben het e-mail adres van Anne-Linde. Het komt vast wel goed.'

'Het moet goed komen.'

'Anders geen bruiloft?'

'Nee, niet zonder Anne-Linde.'

'Ik zal u het e-mail adres geven.'

'Geef dat maar aan Sonja. Ik zit nooit achter de computer.'

Even valt er een ongemakkelijke stilte.

'Wat denkt u?'

'Het gaat niet lukken.'

'Tuurlijk wel!'

Stuivenvolt staart naar de grond. Hij schudt zijn hoofd. 'Ik weet zeker dat ze graag wil komen, maar dat ze geen toestemming van haar moeder krijgt.'

HOOFDSTUK ZES

Draven!

Wanneer Liza naar het weiland terugloopt, roept Stuivenvolt haar. Ze draait zich om en neemt hem afwachtend op. 'Ik weet dat je het goed bedoelt, maar het is beter om je er niet mee te bemoeien.' Liza is een ogenblik in verwarring gebracht. 'Niet?' 'Niet,' beaamt hij. 'Het e-mailadres...?' 'Dat wil ik natuurlijk graag hebben. De brief die ik gestuurd heb, is waarschijnlijk onderschept. Een bericht per e-mail zal haar zeker bereiken. Mijn ex-vrouw leeft het leven van een rijke dame. Ik ben een arme sloeber. Ze wil er niet aan herinnerd worden dat ze hier met mij gewoond heeft. Hoewel er nooit echt ruzie is geweest, heeft ze zich van mij afgekeerd. Ik stel niets meer voor. Ze schaamt zich voor mij en wil liever niet dat Anne-Linde contact met me heeft. Het liefst zou ze mij als vader voorgoed uit het leven van Anne-Linde verbannen. Ik hoop dat mijn dochter nadenkt over de situatie. Mijn gevoel zegt dat ze op de bruiloft van Sonja en mij wil komen. Maar de wil van haar moeder zal sterker zijn. Anne-Linde woont bij haar moeder en wil liever geen ruzie.'

'Die krijgt ze toch.'

'Hoe moet ze hier komen? Wordt ze gebracht of moet ze alleen. Wie betaalt haar reis naar Nederland? Anne-Linde is afhankelijk van haar moeder. Dat maakt alles zo lastig.'

'Het is naar wanneer je moeder je verbiedt om contact met je vader te hebben. Misschien wil ze liever bij u wonen.'

'Bij mij?!' Aan die mogelijkheid heeft Stuivenvolt nooit gedacht.

'Ja.' Liza maakt met twee armen een weids gebaar naar de prachtige omgeving. 'Het is hier mooi.'

'Ik heb geen luxe woning, geen centrale verwarming, geen afwasmachine, geen woonkamer met prachtige meubels, geen kabeltelevisie, geen bubbelbad, geen draadloos internet, geen...'

Liza schiet in de lach. 'Zou u dat dan niet willen?'

'Draadloos internet?' herhaalt hij verwonderd.

'Dat Anne-Linde bij u hier in Nederland komt wonen.'

'Ik kan haar niet veel bieden.'

'Een superplek om te wonen en Binky naast het huis!'

Hij lacht. 'En, twee vriendinnen!'

'Zou het van u mogen?'

'Als zij het zou willen... Niets liever dan dat. Ze is hier heel welkom.'

Het is even stil.

'Sonja gaat bij mij wonen. Zou dat een probleem zijn?'

'Weet ik niet.'

'Sonja is een geweldige vrouw. Ze zal de situatie begrijpen. Ik ga mijn best doen om Anne-Linde uit te nodigen. Het is belangrijk dat ze er bij is. Sonja wil het ook.'

Sonja werkt al jaren in hotel 'De Oude Burcht'. Toen Elles en Maarten Lienhout het hotel kochten, is het personeel gebleven. Sonja die voornamelijk in de keuken en bediening werkt, is nauw betrokken bij de organisatie van het hotel. Sonja is een mollige vrouw met een blozend gezicht, grote ogen en volle lippen. Ze is, wanneer het spitsuur is, het rustpunt in de keuken. Ze blijft rustig en neemt voor iedereen de tijd. Iedereen is dol op haar.

Toen Liza haar leerde kennen, begreep ze niet dat Sonja al jaren vrijgezel was.

Vanaf het moment dat Liza en Femke constateerden dat Sonja belangstelling voor Reitze Stuivenvolt toonde en dat hij in haar geïnteresseerd bleek te zijn, hebben ze hun best gedaan om een ontmoeting voor het tweetal te regelen.

Er ging veel mis. Vooral omdat Reitze en Sonja beiden wat onzeker waren. Uiteindelijk sloeg de vonk over en raakte Sonja van slag. Juist op het moment dat er veel gasten in het hotel waren. Achteraf hebben ze daar vreselijk om moeten lachen. Alles liep in het honderd. In een speciale saus voor sperziebonen verwerkte ze kaneel in plaats van nootmuskaat. De aardappels bleken niet gezouten, maar met suiker gezoet.

En een groot deel van de appeltaart werd bevroren opgediend.

Liza en Femke zien dat huwelijk wel zitten.

Eerst moet het contact gelegd worden met Anne-Linde.

In de nazomer hebben ze elkaar op een bijzondere manier ontmoet. Anne-Linde heeft kennis gemaakt met Binky; de pony die haar vader voor haar kocht.

'Alles verandert,' mompelt Liza wanneer ze naar Binky terugloopt.

Elk mens krijgt met veranderingen te maken. Veel dingen gebeuren, zonder dat je het tegen kunt houden. Dat moet je accepteren.

'He, waar was je!'

Liza tilt met een ruk haar hoofd op en ziet Femke in het weiland staan. Enthousiast steekt ze haar hand op.

'Ik sta al een half uur te wachten,' liegt Femke.

'Waar was jij?'

'Drie keer raden.'

'Bij Niels.'

'In de fietsenstalling!'

'Was het niet koud?'

'Hij hield me vast en...'

'Stop! Ik wil niets over jullie liefdesleven weten,' onderbreekt Liza proestend. 'Niels is mijn broer.'

Liza klimt over het hek. Ze gaat aan de andere kant van Binky staan en vraagt naar het e-mailadres van Anne-Linde.

'Dat heeft ze jou gegeven. We hebben toen vanaf jouw computer een bericht gestuurd. Dat is alweer een tijd geleden. Waarom?'

'Stuivenvolt heeft een brief gestuurd om haar uit te nodigend voor zijn huwelijk. Maar ze heeft niet gereageerd. Hij denkt dat ze de brief niet gekregen heeft.'

'Stond zijn naam op de achterkant van de envelop?'

'Nee.'

'De moeder van Anne-Linde zal zijn handschrift wel herkend hebben en de brief in de container hebben gegooid. Moeten we haar mailen?'

'Nee,' Liza schudt nadrukkelijk haar hoofd. 'Hij wil dat Sonja een bericht van hem verstuurt. Niet wij.'

'Logisch,' vindt Femke. 'Hij is haar vader.'

Binky hinnikt luid.

'Hij wil aandacht!' lacht Liza en vist de sleutel uit haar zak om de deur van het clubhuis te openen.

Ze pakt de doos met borstels van de plank. Femke zet Binky vast aan het hek. Wanneer ze elk aan een kant van Binky staan te borstelen, vertelt Liza schoorvoetend dat ze moeite heeft met de verkering tussen haar en Niels. Omdat alles anders zal worden.

Femke glimlacht. 'Dat met Niels is leuk. Heel leuk!' geeft Femke toe. 'Maar Binky is...'

'Veel leuker!'

'Ssst. Niels mag het niet horen.'

'Je laat ons niet in de steek?'

'Nee, hoor. Niels snapt het allemaal wel. We willen niet elke dag op elkaars lip zitten.'

Liza is opgelucht. Toch is haar angst niet helemaal verdwenen; verliefde mensen, blijven verliefde mensen!

Liza heeft het hoofdstel opgehaald. Ze laat de teugel over hoofd van de pony glijden en brengt voorzichtig het bit in de mond. Ze schuift het hoofdstel over de oren, maakt de neus- en keelriem vast en controleert of het niet te strak zit, door twee vingers tussen de neusriem te steken en bij de halsriem een vuist. Zin om veel te praten heeft Liza niet meer.

'Kom, Binky, we gaan draven!'

HOOFDSTUK ZEVEN

Telefoon

Femke staat in het achterste deel van het clubhuis en kijkt zoekend om zich heen.

Liza zit op het hek naast Binky te wachten en werpt een ongeduldige blik in de richting van het clubhuis. 'Kom je nog?!'

Femke steekt haar hoofd om het hoekje van de deur. 'Ik weet niet wat ik zoek.'

Liza barst in lachen uit. 'Ben je dat vergeten?'

'Sorry, ik weet het echt niet meer.'

Liza schudt het hoofd. 'Vergeet Niels!'

'Niels?! Waarom?'

'Omdat je alleen maar aan hem denkt.'

'Is dat erg?'

'Als je daardoor allerlei andere dingen vergeet, dan is het erg. Je zou het zadel ophalen.'

'Het zadel!' Femke slaat met een vlakke hand tegen haar voorhoofd. Ze gaat op haar tenen staan om het zadel, dat over een dwars uitstekende balk hangt, te pakken.

Liza kijkt naar Femke en beseft dat ze nogal verschillen van uiterlijk. Zelf heeft ze ravenzwart krullend haar met opvallende lichtblauwe ogen en donker gebogen wenkbrauwen. Ze lijkt op haar broer, die dezelfde ogen heeft en hetzelfde zwarte haar. Die combinatie is uitzonderlijk. Lichtblauwe ogen verwacht je normaal gesproken niet bij zwart haar. Niels vermoedt dat één van hun voorvaderen uit Italië komt. Een andere verklaring weet hij niet te bedenken. Femke heeft bruine ogen en kastanjebruin haar. Liza vindt bruine ogen prachtig.

'Als je hier bij ons bent, moet je de knop omzetten,' vindt Liza.

'No way!'

'Alsjeblieft. Het is niet leuk als je hier als een zombie rondloopt.'

'Niels komt ons straks ophalen. Dan hoeven we niet alleen door het donkere bos.'

'Geen toestanden!' waarschuwt Liza.

'Waar zie je mij voor aan?'

'Als ik ergens een hekel aan heb, is dat wel aan verliefde mensen in mijn buurt. Kijk, dat Stuivenvolt en Sonja bij elkaar zijn, vind ik super. Daar hebben wij moeite voor moeten doen. We verdienen een schouderklopje! Op jullie ben ik eigenlijk ook wel een beetje trots. Als ik niet zo mijn stinkende best had gedaan, hadden jullie nooit verkering gekregen. Het is wel jammer dat ik je nu moet delen met Niels. Maar ja, zo gaat dat. Alleen moeten jullie niet de hele tijd aan elkaar zitten.'

'We doen geen vlieg kwaad.'

Liza lacht hardop. 'Als je maar niet gaat zoenen waar ik bij ben. Ik heb een hekel aan klef gedoe.'

'Wacht maar totdat jij verliefd bent.'

Liza steekt haar tong uit. 'Never nooit niet.'

Femke zwaait voorzichtig het zadel over Binky's rug.

Binky schudt vrolijk zijn manen los.
'Hij heeft zin,' zegt Liza.
'Ik ook. Wie rijdt het eerst?'
'Ik,' grijnst Liza en holt door het gras naar het clubhuis om haar cap te halen.
Als Liza even later op Binky's rug zit, vertelt Femke dat het komende dagen koud gaat worden.
'Hoe weet je dat?'
'Lees jij geen kranten? Kijk je nooit televisie?'
'Jawel, maar ik heb niets over kou gehoord!'
'Ze verwachten een strenge vorstperiode met sneeuw.'
'Wow! Sneeuw en ijs. Dan kunnen we schaatsen.'
'Of in het weiland een sneeuwpop maken,' stelt Femke giechelend voor.
'Wanneer begint het?'
'Na het weekend. Tenminste, dat denken een aantal weermannen.'
'Als het hard gaat vriezen, wat doen we dan met Binky?'
'Stuivenvolt brengt hem naar de stal in het achterste deel van de boerderij.'
Binky staat veel buiten in de wei. Wanneer hij voor de regen wil schuilen, kan hij zelf de stal in lopen. De stalruimte in de deel van de boerderij, biedt meer warmte dan de oude kantoorunit.
Waarschijnlijk zal Stuivenvolt de pony daar stallen, bij de koeien.
'Zou Binky het leuk vinden om bij de koeien te staan?' vraagt Femke.
'Vast wel! Alleen is maar alleen. Paarden zijn kuddedieren, dus gezelschap zal hij leuk vinden.'
'Kunnen ze over veulentjes en kalfjes praten!'
Liza pakt de teugels vast en klakt met haar tong, als teken

voor Binky om te gaan lopen. Ze probeert hem doormiddel van een klikgeluid aan te sporen om voorwaarts te gaan. Dit lijkt haar een betere manier dan met de hakken van haar laarzen in zijn onderbuik porren. Ze heeft het een paar keer geoefend en Binky lijkt het al te begrijpen. Enthousiast stapt hij door het weiland.

Femke blijft half in de deuropening bij het clubhuis staan. Buiten is het koud. Af en toe kijkt ze over haar schouder in de hoop dat Niels tussen de struiken verschijnt.

'Houding!' roept Femke streng als Liza voorbijkomt.

Liza trekt haar schouders naar achteren. Femke, die een paar rijlessen op een manege heeft gehad, weet dat het belangrijk is om rechtop te zitten.

'Ik doe mijn best!'

'Voor een paard is het van belang hoe het gewicht over zijn rug verdeeld wordt.'

'Ja, ja. Ik weet het.'

Het lukt Liza om zestien tellen kaarsrecht te blijven zitten. Dan zakken langzaam haar schouders naar beneden.

Femke hoort Liza's telefoon overgaan. Ze haalt hem snel uit Liza's rugzak en rent het weiland in. 'Er is telefoon voor je!'

'Neem maar op!' roept Liza en probeert in draf naar het clubhuis terug te gaan. Het lukt haar niet om in het ritme te komen.

Femke reikt haar de telefoon aan. 'Het is Niels.'

'Moet hij mij hebben?'

Femke knikt.

'Met mij,' hijgt Liza in de hoorn.

'Ik sta bij de receptie in het hotel. Frederiek kreeg een telefoontje van een vrouw die op zoek is naar jou.'

'O. Wie is het?'

'Ze heeft haar naam niet genoemd.'

'Waar gaat het over?'
'Dat weten we niet.'
'Wat nu?'
'Ze wil jouw telefoonnummer, maar dat heeft Frederiek niet gegeven.'
Frederiek is receptioniste in het hotel.
'Waarom niet?'
'Het is een wildvreemde.'
'Ja, en?'
'Frederiek kreeg een vreemd gevoel. De vrouw deed geheimzinnig.'
Liza denkt na.
'Wat kan er gebeuren als ze mijn mobiele nummer heeft?'
'Dat kan niemand voorspellen. Frederiek heeft afgesproken dat ze eerst aan jou vraagt of ze het nummer mag geven. De vrouw belt over een half uur terug.'
Liza's hersens werken koortsachtig.
Blijkbaar vinden Frederiek en Niels het niet verstandig om het mobiele nummer aan de onbekende vrouw te geven.
'Ik kom direct naar het hotel,' besluit ze.

HOOFDSTUK ACHT

Geheim

Met grote verbaasde ogen staart Femke naar Liza, die zich van Binky's rug laat glijden. 'Wat ga je doen?'

'Naar het hotel.'

'Is er iets gebeurd?'

'Nee.' Terwijl Liza het bandje onder haar kin lospeutert, legt ze uit wat er aan de hand is.

'Dus je gaat gewoon weg?'

'Ja. Dan kan ik haar meteen spreken.'

'En ik dan? We zouden rijden.'

Liza schokt met haar schouders. Ze weet niet wat ze moet zeggen.

Vanaf het begin dat ze op Binky rijden, hebben ze met Stuivenvolt afgesproken dat er alleen pony gereden mag worden als er iemand anders bij is. Pony's blijven pony's. Wanneer ze schrikken van een geluid, kunnen ze bokken of er vandoor gaan. Je loopt als ruiter het risico dat je van de pony valt. Daarom moet er een tweede persoon in de buurt zijn voor het geval er iets gebeurt.

'Je hebt net verteld dat je bang bent dat ik meer tijd met Niels doorbreng dan met jou en Binky. Ik maak duidelijk dat ik jullie niet in de steek laat!' Femke klinkt snibbig. 'En wat doe jij? Jij gaat doodgewoon weg.'

'Je snapt toch wel…'

'Nee, niet echt.'

Liza's mond valt open. 'Doe niet zo kinderachtig.'

'Dan had ik ook met Niels kunnen afspreken.'

'Dat is waar,' geeft Liza toe.

Er valt een stilte.

Binky staat tussen de meisjes in. Hij tilt zijn hoofd op en kijkt van de één naar de ander. Dan schudt hij op een grappige manier zijn hoofd heen en weer. De meisjes schieten in de lach.

Liza denkt na. 'Als je Niels belt, wil hij misschien eerder komen. Dan kun je rijden. Of je gaat met mij mee naar het hotel. Dan wacht ik op het telefoontje. Daarna gaan we weer terug.'

'Dat kost te veel tijd. Kan Frederiek niet afspreken dat die vrouw vanavond naar de huistelefoon belt? Dan kunnen we nu hier blijven.'

Liza kijkt op haar horloge en loopt met de cap in haar hand naar het clubhuis. 'Ik ga nu snel naar het hotel. Over twintig minuten belt ze.'

'Je bent nieuwsgierig.'

'Ook.'

'Alleen maar!'

'Ga je mee?'

Femke schudt het hoofd. 'Ik blijf.'

'Je wacht hier op me?'

'En op Niels,' voegt ze er grappig aan toe.

'Oké! Dan ga ik snel.' Liza werpt een blik naar de grijze winterlucht.

'Ik haal het longeertouw! Tot zo!' roept Femke.

Femke verdwijnt in het clubhuis.

Liza klimt over het hek en doet handschoenen aan. Wanneer ze over het smalle slingerpad tussen de struiken door fietst, kijkt ze vluchtig opzij naar het kleine meertje dat de Peelderpoel genoemd wordt.

Toen ze het meertje ontdekte, vond ze het sprookjesachtig. Het ligt midden in het bos, lieflijk tussen berkenboompjes en rietpollen verscholen. Een mysterieuze plek, omdat je voelt dat er dingen gebeuren die niet zichtbaar zijn.

Later hoorde ze verhalen over geheimzinnige verdwijningen en geesten die er nog rond zouden dolen. Ze had erom gelachen, totdat ze een paar maanden geleden op de hooizolder van Stuivenvolts boerderij logeerde en iets zag, wat haar bang had gemaakt.

Binky was onrustig. Ze besloot om samen met Femke poolshoogte te nemen. De pony is gewend om in het weiland te overnachten. Toch joeg iets of iemand hem de stuipen op het lijf. Vlakbij de Peelderpoel verscheen uit het duister een meisje. Het was pikdonker, toch kon Liza haar naast het weiland van Binky zien staan. Een roerloze gedaante, die naar Liza en Femke staarde. Er hing een wonderlijk wit licht om haar heen. Femke zag het niet, Liza wel en dat maakte alles nog merkwaardiger. Liza vond het griezelig. Vooral toen later bleek dat Stuivenvolt ook een meisje had zien staan.

Vanaf het begin dat Liza in Burchtwaarde woont, weet ze dat de Peelderpoel geheimen verbergt.

Er is van alles aan de hand met het kleine bosmeer. Zo zou het water een geneeskrachtige werking hebben!

Liza heeft dat met een paar meisjes uit haar klas uitgetest bij een zieke pony. En, het werkte!

Maar of dat van het water uit de Peelderpoel kwam, is niet zeker. Het kan toeval geweest zijn.

In een boek, waarin de geneeskrachtige bronnen van over de hele wereld beschreven staan, trof Liza tot haar verbazing een fragment over de Peelderpoel aan:

Op het landgoed van hotel De Oude Burcht werd begin 1900 de geneeskrachtige werking van het water uit een poel geconstateerd. Mensen van heinde en verre brachten een bezoek aan de Peelderpoel. De resultaten zouden verbijsterend zijn geweest...

Niet lang daarna vertelde iemand uit Burchtwaarde over onverklaarbare verdwijningen van mensen die vroeger bij de poel waren gesignaleerd.

Liza blijft liever uit de buurt van de Peelderpoel. Als ze er komt, dan is het met Binky of anderen. Nooit alleen.

Zenuwachtig stapt ze een kwartier later via de hoofdingang het hotel binnen. Ze doet haar laarzen uit en neemt ze mee. Het voelt heerlijk om over het zacht verende tapijt te lopen. De kroonluchters verspreiden een warm, gedempt licht in de zaal en de brede gang.

Uit de kleine zaal klinkt geroezemoes. De deur staat op een kier.

Liza ziet een groep mensen vergaderen.

Niels is in geen velden of wegen te bespeuren.

Frederiek denkt dat hij naar de villa is. 'Hij zou jullie straks ophalen na het ponyrijden.'

'Ik spreek hem zo,' knikt ze en gaat op een stoel naast Frederiek achter de balie zitten.

Frederiek knijpt lachend haar neus dicht.

'Is er iets?' vraagt Liza.

'Je ruikt naar paard!'

'Pony,' verbetert Liza met een uitgestreken gezicht. 'Daar

moet je maar aan wennen. Het is gezonde lucht.'

Dan gaat de telefoon.

Frederiek neemt om. Ze luistert aandachtig en kijkt dan naar Liza. 'U boft. Ze is net gearriveerd. U kunt haar spreken.'

Liza neemt de telefoon over. Ze hoort een vreemde ruis op de lijn. 'Met Liza Lienhout.'

'Met Anne-Linde,' zegt ze met verdraaide stem.

'Jij?' fluistert Liza verbijsterd.

'Ik wil je een geheim vertellen.'

HOOFDSTUK NEGEN

Plannen

Liza draait de bureaustoel en gaat met haar rug naar Frederiek zitten. Ze probeert iets van het gesprek op te vangen.

'Ben je alleen?'

'Nee,' antwoordt Liza zachtjes. 'Ik zit achter de balie in het hotel. Iedereen kan meeluisteren.'

'Kun je ergens anders gaan zitten?'

'Niet met deze telefoon. Die moet hier bij de balie blijven.'

'Geef me een ander nummer. Dan bel ik dat.'

'Ik kan naar huis gaan.'

'Ik heb niet veel tijd.'

'Kwestie van een paar minuten. Heb je pen en papier?'

'Yep.'

Liza geeft haar privé nummer door.

'Vijf minuten?'

'Dan ben ik er,' belooft Liza. Ze legt de hoorn terug en staat op.

Frederiek neemt haar nieuwsgierig op. 'Kende je de vrouw?'

'Ja.' Ze loopt achter de balie weg. 'Sorry, ik moet opschieten.'

'Oké.' Frederiek kijkt haar peinzend na. Natuurlijk heeft ze door dat er iets aan de hand is, maar Liza is niet van plan om

dat met haar te delen. 'Er zijn toch geen problemen?'
'Nee hoor! Ik ga. Over een paar minuten word ik teruggebeld.'
Frederiek steekt haar hand op.
Liza haast zich door een stille gang naar de achterdeur. Ze trekt haar laarzen aan en spurt over de binnenplaats naar de villa.
De telefoon rinkelt op het moment dat ze de achterdeur van de villa achter zich dichttrekt.
'Met Liza!' Buiten adem laat zich ze op een keukenstoel vallen. 'Goed getimed, hè?!'
Het meisje aan de andere kant lacht. 'Je bent supersnel.'
'Ik luister.'
'Ik heb je hulp nodig.'
'Waarom bel je via het hotel?'
'Het briefje met e-mail adressen en mobiele nummers van jou en Femke bewaarde ik op een plank in mijn kamer, maar kan het nergens vinden. Ik denk dat mijn moeder dat per ongeluk heeft weggegooid.'
'Per ongeluk?'
Anne-Linde zucht verdrietig. 'Nee, natuurlijk niet. Ze wil niet dat ik contact met Nederland heb. Ook niet met jullie. Maar ik wil mijn vader graag leren kennen.'
'We hebben een tijd geleden met elkaar gemaild. Dus mijn e-mailadres staat in jouw computer opgeslagen,' zegt Liza.
'Mijn computer heeft het pas begeven. De meeste adressen ben ik kwijt. Dat van jou ook. Via internet kon ik het telefoonnummer van jullie hotel achterhalen en de receptie bellen. Kun je me jouw e-mailadres geven, dan kunnen we mailen. Heb je pen en papier?'
Ze wisselen adressen en mobiele nummers uit.
'Het is wel toevallig dat je belt.' Liza denkt aan Stuivenvolts

woorden; hij wilde niet dat Liza en Femke zich er mee zouden bemoeien. Wat kan ze wel en wat niet zeggen? 'Femke en ik hebben vanmiddag nog over je gepraat.'

'Telepathie,' grinnikt Anne-Linde.

'Jouw vader heeft je een brief geschreven.'

'Ja?' Anne-Linde lijkt plotseling op haar hoede.

'Dat heeft hij ons verteld.' Liza zegt expres niets over de bruiloft. Die verrassing mag haar vader zelf vertellen.

'Wanneer schreef hij die.'

'Een paar weken geleden.'

'Nooit gekregen,' mompelt Anne-Linde. 'Het is niet slim om een brief te sturen. Mijn moeder haalt meestal de post uit de bus. Ze doet er alles aan om er voor te zorgen dat ik geen contact met hem heb. Ik denk dat ze de brief heeft achtergehouden.'

'Zou je zelf contact met je vader willen?'

Het blijft lang stil.

'Ik heb een plan…'

'Je wilt het toch wel?' valt Liza in de rede.

'Ik krijg alleen maar problemen. Mijn moeder laat overduidelijk merken dat ze niet met mijn vader geconfronteerd wil worden.'

'Stom,' valt Liza uit. 'Zij wil dat niet. Dat is begrijpelijk. Maar jij mag toch zelf weten wat jij wilt. Hij is namelijk jouw vader.'

'Je kent mijn moeder niet.'

'Als jij contact wilt met je vader, moet je dat doen.'

'Daarom heb ik een plan.'

Liza luistert aandachtig. Haar ogen gaan steeds meer stralen.

'Wat vind je er van?' vraagt Anne-Linde.

'Helemaal te gek!'

'Zou het lukken.'

'Zeker weten. Mogen Niels en Femke het ook weten?'

Anne-Linde aarzelt. 'Femke is oké, maar Niels...'

'Ze hebben verkering. Hij gaat toch vragen stellen.'

'Is goed dan,' mompelt Anne-Linde. 'Ik hang op. Mijn moeder komt zo thuis.'

'We mailen!'

'Duim je?'

'Vierentwintig uur per dag,' belooft Liza.

'Er moet nog veel gebeuren.'

'Het gaat door.'

'Hoe is het met Binky?'

'Heel goed. Hij heeft met de Sinterklaasoptocht meegedaan.'

'Gaaf! Ik hoop dat ik hem snel weer zie.'

De meisjes nemen afscheid.

Liza hoort Niels binnenkomen.

Hij neemt haar fronsend op. 'Waar is Femke?'

'Bij Binky. Ze wacht met smart op je.'

'Waarom ben jij hier en zij niet?'

'Dat kan ik uitleggen als je nu met me mee fietst naar ons clubhuis.'

'Ik was toch al van plan om te gaan.' Niels wikkelt zijn sjaal drie keer om zijn hals en ritst zijn jas dicht. Als hij een blik in de spiegel werpt, grinnikt Liza.

'Je haar zit goed hoor!'

Het wordt al donker. Ze doen hun fietsverlichting aan.

'Anne-Linde wil met kerst naar Nederland komen. Dat moet een verrassing voor Stuivenvolt worden. Een paar maanden geleden vond ze het moeilijk om hem te zien, omdat ze bang was dat ze hem daarna in Engeland erg zou missen. Ze heeft veel nagedacht, maar wil toch contact met hem. Het grootste probleem blijft haar moeder, die haar niet naar Nederland zal laten gaan. Wij moeten dus iets verzinnen. Haar uitnodigen, bijvoorbeeld.'

'Haar moeder is niet achterlijk.'

'Heb je een beter idee? Anne-Linde zal moeten liegen om hier te komen. Als het lukt, dan moet het voor Stuivenvolt de mooiste kerst van zijn hele leven worden,' glimlacht Liza. 'Haar stiefvader probeert te helpen. Hij zit er wat tussenin, maar zal zijn best doen om iets voor Anne-Linde te regelen.'

'Dat zou mooi zijn.'

'We bedenken straks op zolder plannen voor als het allemaal gaat lukken.'

HOOFDSTUK TIEN

Niet liegen

De duisternis van de avond is als een zware deken over het bos van landgoed Burchtwaarde gevallen.

In het clubhuis van de Pony Friends branden op zolder kleine warme lichtjes.

Liza is blij dat ze bij het weiland is. Ze zet haar fiets tegen een boom en zwaait haar armen heen en weer om warm te blijven. Ze wacht totdat Niels bij haar is. 'Wat is het snel donker geworden,' klaagt ze.

'Omdat er veel bewolking is.'

Liza klimt over het hek en kijkt met een blik vol medelijden omhoog naar de zolder. 'Arme Femke. Helemaal alleen in een donker bos.'

'Dan had ze maar met je mee moeten gaan.'

'Ze hoopte dat jij eerder zou komen,' liegt Liza.

'Is dat zo?'

Liza giechelt.

'Nee dus.'

'Ik kan gedachten lezen.'

Binky hoort het tweetal en sjokt hen tegemoet.

Femke steekt haar hoofd om het hoekje van de deur. 'Binky,

waar ben je?'

'Bij ons!' roept Liza.

'Alles goed?' Niels klinkt bezorgd.

Er verschijnt een donker silhouet in de deuropening. 'Nu wel.'

'Het wachten duurde zeker te lang,' zegt Liza.

'Nogal. In je eentje is het hier griezelig. Het werd snel donker. Stuivenvolt ging weg met zijn auto, dus voelde ik me wel heel erg alleen.'

'Binky is er toch?'

'Hij mocht een tijdje bij mij in het voorraadhok. Maar dat was niet zo'n handig idee.' Femke rolt haar met haar ogen. 'Hij gooide alles overhoop met zijn zoektocht naar wat eten. Dus moest hij weer naar buiten. Maar als een vogel overvliegt, gaat hij er van schrik vandoor.'

'Je overdrijft.'

'Nee, hoor. Paarden zijn vluchtdieren. Als er iets aan de hand is, verdwijnt Binky. Dan heb je niets aan hem.' Femke houdt de deur uitnodigend open. 'Kom binnen.'

In de kleine ruimte, die naar hooi ruikt, hangt een lamp die weinig licht verspreidt. Op de bovenste plank liggen twee zaklampen voor het geval ze meer licht nodig hebben.

Binky neemt een aanloop en blokkeert de ingang voordat Liza en Niels over de drempel kunnen stappen.

Lachend duwt Femke de pony naar achteren. Binky geeft zich niet snel gewonnen en doet een tweede poging.

'Hij wil bij ons zijn,' mompelt Liza.

'Binky kan toch zelf de stal in en uitlopen?' vraagt Niels.

'Als wij in het clubhuis zijn, doet hij dat meestal niet.'

'Wat een aandachttrekker,' grinnikt Niels.

'Ik heb nog iets lekkers,' bedenkt Liza zich en haalt de winterwortels uit haar rugzak.

Staand in de deuropening voert ze de wortels aan Binky. Aan het gulzige geknabbel te horen, smaakt de wortel hem goed. Uit haar ooghoek ziet ze dat Niels zijn arm om Femkes middel legt en haar een kus op de mond geeft. 'Niet doen!' Niels kijkt zijn zus verbaasd aan. 'Ik doe alleen maar lief.' 'Ik kan niet tegen klef gedoe.' 'Kom op, zeg! Eén zoen, meer niet.' 'We gaan naar boven,' kondigt Femke aan. 'Had die vrouw iets belangrijks te melden?" 'Welke vrouw?' Femke slaakt een zucht. 'Wat heb jij een slecht geheugen.' 'O, die vrouw!' grijnst Liza terwijl ze de deur voor Binky's neus dichtdoet. Femke en Niels klimmen via de steile trap naar zolder. 'Het was Anne-Linde. Ze verdraaide haar stem. Frederiek dacht dat het een vrouw was.' 'Anne-Linde?! Wat een toeval.' Het drietal gaat op de stoelen zitten die ze voor een prikkie bij een kringloopwinkel hebben gekocht. 'Waarom belde ze?' Femke is nieuwsgierig. 'Ze heeft een tof plan.' 'Zijn we uitgenodigd? Mogen we met kerst naar Engeland?' 'Ze wil hier komen.' 'Wow!' 'Ze weet alleen niet hoe ze het voor elkaar moet krijgen om naar Nederland te kunnen. Haar moeder zal het niet goed vinden.' 'Haar moeder,' zegt Femke scherp. 'Die heeft de pest aan Stuivenvolt omdat hij in haar ogen een gewone boer is.' 'Ze is vroeger wel met hem getrouwd.' 'Logisch. Het is een schat van een man. Ze kwam er wat te laat achter dat ze liever met een rijke man wilde trouwen.

50

Een villa vond ze leuker dan een oude boerderij op een afgelegen plek.'
'Stuivenvolt vindt het hier heerlijk. Het is een stille man, die alleen iets zegt als het nodig is en die nooit in het middelpunt van belangstelling wil staan,' somt Liza op. 'Een ander opvallend kenmerk van hem is, dat hij de herenmode niet op de voet volgt. Hij draagt het liefst een overall.'
Iedereen lacht.
Femke schenkt thee in, die ze vlak voor de komst van Liza en Femke heeft gezet. Ze zitten heel knus bij elkaar.
'Weet iemand wat Sonja en Stuivenvolt met de kerstdagen doen?' vraagt Niels.
'Niets bijzonders,' denkt Liza. 'Sonja brengt vaak een bezoek aan haar vader. Ook met kerst.'
Niels kijkt zijn zus aan. 'Moet ze werken?'
'Volgens mij wel.'
'Conclusie: we kunnen er vanuit gaan dat Reitze Stuivenvolt en Sonja met de kerstdagen in Burchtwaarde zijn.' Niels kijkt de meisjes één voor één aan.
'Ik heb een idee!' roept Liza opgewonden. 'We nodigen hen uit voor een kerstdiner op zolder.'
'Hier?' Femke zet grote ogen op. 'Dat is nogal een gedoe.'
Femke kijkt de ruimte rond. De zolder is best groot, maar je kunt er niet rechtop staan. 'Kunnen we met z'n allen aan dat gammele tafeltje zitten?'
'Nee, we zullen moeten improviseren.'
Iedereen denkt na.
'Via pap en mam kunnen we wel een maaltijd regelen,' denkt Niels. 'Als iemand het kerstdiner met de auto naar het clubhuis wil brengen, kan het hier warm opgediend worden.'
'Dat is nog de vraag. Na het weekend verwachten ze vorst en sneeuw.'

'En?' Niels werpt een niet-begrijpende blik in haar richting.
'Kun je dan met een auto door het bos hier naar toe rijden?'
'Dan lenen we de tractor van Stuivenvolt.'
'Of...' Liza kijkt met een stralend gezicht in het rond. 'We spannen Binky voor een arrenslee.'
'Romantisch,' zwijmelt Femke.
'En dan komt Anne-Linde als verrassing tevoorschijn!' Liza ziet het al helemaal voor zich.
'Als dat zou kunnen!' lacht Femke.
'Zover is het nog niet!' zegt Niels. 'Anne-Linde moet eerst een goede smoes bedenken om naar haar vader te mogen.'
Femke zet haar theekopje met een klap terug op tafel. 'Het is belachelijk! Anne-Linde moet gewoon zeggen dat ze hem wil opzoeken. Of haar moeder dat nu wel of niet wil; zij gaat met kerst naar Burchtwaarde. Punt.'
'Dan krijgt ze ruzie.'
'Dan maar ruzie! Ze moet duidelijk maken dat ze naar haar vader gaat. Als ze het nu niet doet, dan zal het altijd moeilijk blijven. Ze moet ophouden met liegen. Wil ze naar haar vader, dan gaat ze gewoon!'
'Ik mail het haar straks wel,' mompelt Liza.

HOOFDSTUK ELF

Mail

Tijdens het theedrinken, bedenken ze plannen voor als Anne-Linde in Burchtwaarde is. Dat ze haar vader de verrassing van zijn leven wil bezorgen, vinden ze alle drie geweldig. Stuivenvolt praat nooit met anderen over zijn dochter in het buitenland. Liza, Femke en Sonja kennen de situatie, maar beginnen er meestal niet uit zichzelf over. Het is een gevoelig onderwerp. 'Dat ze hem wil verassen vind ik zo gaaf,' zegt Liza. 'Als ik er aan denk, word ik blij voor Stuivenvolt. Ik kan me helemaal voorstellen hoe hij zal kijken; stralende ogen en een glimlach van het ene naar het andere oor.'
'Waar moet ze slapen?' vraagt Femke.
'Bij ons,' antwoordt Niels. 'Dichtbij bij de boerderij van haar vader.'
Liza kijkt beurtelings van Niels naar Femke. 'En Sonja?'
'Wat, Sonja?' Femke begrijpt haar niet.
'Mag zij het weten?'
Niels en Femke schudden eensgezind het hoofd.
'Waarom niet? Ze kan geheimen goed bewaren.'

'Het is voor haar ook een leuke verassing,' vindt Niels. 'We kunnen het Sonja altijd nog vertellen.'
Femke ziet door het zolderraam twee autolampen naderen. 'Stuivenvolt rijdt zijn erf op.'
Liza stelt voor om hem te vragen of Binky naar een andere stal moet. 'Dan kunnen wij die morgen voor Binky inrichten,' zegt Femke.
'Met tv, een bubbelbad en lekker veel stro,' grijnst Niels.
Femke kijkt hem met een scheef oog aan. 'Jaloers?'
'Hoe kom je daar nou bij?'
'Ik zorg er persoonlijk voor dat jij ook een heleboel stro in je bed krijgt,' belooft Femke. 'Dan hoef je niet jaloers te zijn op Binky.'
'Mag ik bedanken?'
Lachend dalen ze even later de steile trap af. Femke geeft Binky wat extra kuilgras en vult het water bij. Liza maakt de gebruikte kopjes schoon.
Vijf minuten later nemen ze uitvoerig afscheid van Binky en beloven de volgende dag meer aandacht aan hem te besteden.
Via een donker zandpad komen ze bij de boerderij van Stuivenvolt.
'Hallo dames!' groet Stuivenvolt verrast als hij hen op het erf tegenkomt.
'U moet een nieuwe buitenlamp kopen,' moppert Niels. 'Dan had u kunnen zien dat ik geen dame ben, maar een heer!'
Liza en Femke barsten in lachen uit.
'Sorry jongeman,' verontschuldigt Stuivenvolt zich. 'Ik zal binnenkort een grote buitenlamp aan de gevel monteren. Je hebt gelijk, deze geeft te weinig licht.'
'Gaat u met kerst nog weg?' vraagt Liza.
Niels geeft haar een waarschuwende por in de rug.
'Ik?!' Stuivenvolt lacht verwonderd. 'Nee hoor. Waarom wil

je dat weten?'

'Heeft Sonja u niet uitgenodigd.'

'Ze moet met de kerstdagen werken en ik heb vee dat op tijd gemolken moet worden. Waarschijnlijk komt ze hier iets lekkers koken. We weten het nog niet.'

'We wilden iets vragen,' zegt Femke dan. 'Over een paar dagen verwachten ze sneeuw en vorst. Moet Binky naar de binnenstal?'

'Dat lijkt mij een goed idee. Ik heb een mooi plekje voor hem op de deel. De stal in het weiland is goed, maar als het water bevriest, moet je er steeds naar toe. Hij mag op de boerderij komen logeren. Hebben jullie in het donker op Binky gereden?'

'Nee, hoor,' antwoordt Liza.

Stuivenvolt heeft vanaf het begin dat Liza en Femke voor Binky mogen zorgen op allerlei gevaren gewezen en daarover afspraken met hen gemaakt. Hij voelt zich verantwoordelijk voor de meisjes.

'De dagen zijn in de winter te kort om te rijden,' zegt hij.

'Als je naar school moet wel,' grinnikt Liza.

'In de kerstvakantie kunnen jullie uren ponyrijden.'

'Pony Friends doen niets liever!'

Liza herinnert zich dat ze het e-mail adres van Anne-Linde op een briefje heeft geschreven. 'Alstublieft. Zoals belooft,' glimlacht ze.

'Aha, het e-mailadres van Anne-Linde! Bedankt. Dan kan ik Sonja aan het werk zetten,' voegt hij er met een glimlach aan toe.

'Willen jullie Anne-Linde de groeten van mij doen?' vraagt Liza.

'En van mij!' roept Femke. 'We zullen duimen dat ze met de bruiloft in Nederland is.'

'Ik verwacht niets,' mompelt Stuivenvolt wanneer hij naar de zijdeur van zijn boerderij wandelt. 'Hoe graag ik het ook zou willen.'

Om half zeven zit Liza alleen op haar kamer. Niels nodigde Femke uit om te blijven eten. Daarom zit Femke nu met Niels beneden in de kamer. Een lastig moment voor Liza, omdat ze Femke moet delen met haar broer.

Ze zal er aan moeten wennen.

Er komt een bericht van Anne-Linde binnen.

Lieve Liza en Femke
Ik heb slecht nieuws. De kans dat ik mijn kerstvakantie bij mijn vader in Nederland logeer is erg klein. Mijn moeder luisterde ons af toen ik met mijn stiefvader praatte over mijn plan om naar Nederland te gaan.
Ze ging door het lint en maakt ruzie met hem en mij.
Het is hier nu heel gezellig :(
Mijn moeder doet altijd moeilijk wanneer het om mijn vader gaat.
Ik heb geen zin in ruzie.
Dus...

'Stommeling,' sist Liza nijdig en drukt op beantwoorden.

Anne-Linde, als je nu niet laat merken wat jij wilt, blijf je altijd bang voor ruzie met je moeder. Laat de bom maar barsten. Zeg dat je wel gaat en je niet laten tegenhouden.
Ik meen het. Doe dat!
Wij bedenken ondertussen plannen voor als je hier bent! Tot gauw!
Zonder de woorden over te lezen, drukt ze op de verzendknop.

HOOFDSTUK TWAALF

De beslissing!

Liza opent de deur van haar slaapkamer. 'Zijn jullie er nog?!'
roept ze naar beneden.
Het blijft stil.
'Wat doen jullie?!'
Er klink gelach uit de kamer.
'Laat maar! Ik hoef het niet te weten.'
'We kijken naar een spannende film!' brult Niels.
'Zo spannend, dat jij Femkes hand moet vasthouden.'
'Jij weet ook alles.'
'Mag ik straks in de kamer zitten?'
'Met je ogen dicht!' giert Femke.
'Klef stel,' mompelt Liza en duwt de deur dicht.
Tot haar verrassing heeft Anne-Linde teruggemaild. Nieuws-
gierig klikt ze de e-mail aan.

Hallo Liza.
Als jij in mijn situatie zou zitten, zou ik jou precies hetzelfde zeg-
gen.
Jij hebt een vader, een moeder en een broer.
Voor mij is alles anders.

Ik heb een nare herinnering overgehouden aan de plotselinge verhuizing naar Engeland.
Ik was te jong om het te begrijpen wat er aan de hand was. Ik miste mijn vader!
Mijn moeder trouwde snel. Over mijn vader werd en wordt nooit gesproken. Misschien schaamt ze zich voor hem. Hij woont in een oude boerderij, wij in een grote villa. Wij kunnen alles kopen wat we willen. Wanneer ik voorzichtig probeer om een gesprek met mijn moeder aan te knopen over vroeger, dan schudt ze haar hoofd. Ze wil niet over hem praten. 'Ik heb een dikke streep door het verleden gezet,' zegt ze dan.
Als ik naar Nederland ga, ben ik niet meer welkom bij mijn moeder. Dat heeft ze mij net duidelijk gemaakt. Daar ben ik van geschrokken.
Terwijl ik dit schrijf, heb ik tranen in mijn ogen. Ik wil geen ruzie. Ik wil niemand kwijt. Mijn moeder niet, maar mijn vader ook niet. Ik kan niet kiezen. Ik hoop dat je het begrijpt. Er is geen oplossing!
Groetjes,
Anne-Linde.

Een golf van ontzetting gaat door Liza heen. Hoezo, geen keuze?!
Liza plant haar ellebogen op haar bureaublad en leest de mail aandachtig over. Het liefst zou Liza direct een mail terugsturen waarin ze de moeder van Anne-Linde veroordeelt.
Hoe kan een moeder zo hard zijn?
Anne-Linde zou moeten doen wat ze het liefst wil. Maar dat durft ze niet.
Liza slaakt een zucht. Hoe kan ze Anne-Linde helpen?

Lieve Anne-Linde.

Ik begrijp dat je verdrietig bent. Als ik wat voor je kan doen, mail het dan. Ik wil graag helpen.

Liza en Niels ook. In Burchtwaarde heb je vrienden. En, vergeet Binky niet!

Toch hoop ik je gauw te zien!

Liza.

Lieve Liza.

Dat ik vrienden in Burchtwaarde heb, weet ik! Ik ken jullie niet goed, maar op één of andere manier voelt het vertrouwd. Dat komt ook, omdat jullie voor Binky zorgen. Jullie vertelden hoe belangrijk Binky voor mijn vader is. Ik begrijp (voel!) dat hij van mij houdt en mij al die jaren gemist heeft.

En ik hem.

Hij beloofde me toen ik jonger was dat ik op mijn twaalfde een pony zou krijgen. Het is zo tof dat hij dat ook gedaan heeft. Jij en Femke zorgen voor mijn pony. Bijzonder, hè?

In de kerstvakantie kom ik niet naar Burchtwaarde. Ik blijf hier. Ik wil mijn moeder een brief schrijven en uitleggen hoe het voor mij is om niet naar mijn vader te mogen. Er hangt een nare spanning in huis. Ik probeer gewoon te doen. Dat is het beste voor iedereen.

Hé, er is net een bericht binnengekomen van Sonja. Ik denk dat het de vriendin van mijn vader is. Een andere Sonja ken ik niet. Ik verstuur dit bericht snel. Tot later.

Anne-Linde.

Liza denkt met gesloten ogen na. Dan staat ze op om naar beneden te gaan. Of zal ze even wachten? Misschien schrijft Anne-Linde over het berichtje van Sonja. Zeven minuten later komt er een nieuwe mail binnen.

Hallo.

Het was een bericht van mijn vader via het e-mailadres van Sonja. Je gelooft het niet; ze gaan volgend jaar trouwen! Maar alleen als ik erbij ben.

Misschien moet ik toch maar doen wat ik wil. Ik heb Sonja ontmoet. Ze is heel lief.

Ik wil dat mijn vader gelukkig wordt. Dus zal ik op de bruiloft zijn! Ik las jouw e-mail nog eens over:

"Anne-Linde, als je nu niet laat merken wat jij wilt, blijf je altijd bang voor ruzie met je moeder. Laat de bom maar barsten. Zeg dat wel je gaat en je niet laten tegenhouden! Ik meen het. Doe dat."

Ik ga nadenken over hoe ik dit zal aanpakken. Ik heb een beslissing genomen.

Met kerst wil ik bij mijn vader zijn! Je hoort van me...

Anne-Linde.

HOOFDSTUK DERTIEN

Niets doen

'Ik ga nadenken over hoe ik dit ga aanpakken. Ik heb een beslissing genomen. Met kerst wil ik bij mijn vader zijn! Je hoort van me...' De laatste zinnen leest Liza hardop.
De kracht van haar woorden is voelbaar. Dit is het keerpunt voor Anne-Linde. Niets en niemand zal haar meer tegenhouden. Zelfs niet de angst dat haar moeder haar uit boosheid in de steek laat.
Stuivenvolt stuurde zijn mail op het juiste moment.
Perfect!
Hij is geen man die een ander ook maar een strobreedte in de weg legt. Hij bemoeit zich met niemand. Zijn motto kun je het beste omschrijven met de woorden 'leven en laten leven.'
Voor Anne-Linde moet dat een verademing zijn. Ze zal zich ongetwijfeld vrijer bij hem voelen, dan bij haar moeder.
Waarom is een contact tussen Stuivenvolt en Anne-Linde een probleem voor haar moeder?
Is ze bang dat Anne-Linde bij hem wil wonen.
Zou dat haar probleem zijn?
Liza slaakt een zucht.
Ze weet dat mensen vreemd kunnen reageren, zonder zelf te

begrijpen wat de reden van hun gedrag is.

Liza stuift de trap af.

'Anne-Linde komt met kerst naar Burchtwaarde!' roept ze vanuit de hal en duwt zonder nadenken de kamerdeur open. Femke en Niels zitten met de armen om elkaar heen geslagen op de bank.

'Aagh!' Liza slaat met veel gevoel voor drama twee handen voor haar gezicht.

Niels en Femke laten elkaar van schrik los.

'Kun je niet kloppen?' zucht Niels.

Stoor ik?'

'Nogal,' mompelt Femke met een kleur.

'Je moet je haar kammen,' mompelt Liza. 'Het zit in de war.'

'Wat zei je?' Femke spert haar ogen wijd open als tot haar doordringt met welk nieuws Liza de kamer binnenstapte.

'Komt Anne-Linde?!'

'Dat zei ik, ja.'

Wat gaaf!' juicht Femke.

'We hebben net met elkaar gemaild.'

'Mocht het van haar moeder?'

'Nee.'

'Hoe weet jij dan zeker dat ze hier naar toe komt?'

'Ze heeft het helemaal gehad met haar moeder.'

Niels en Femke staren haar verbaasd aan.

'Serieus?'

Liza legt uit wat er gebeurd is. 'Ze vertelde dat ze niet zou komen. Ze had geen zin in ruzie. Een half uur geleden stuur-de Stuivenvolt een mail waarin hij schreef dat hij met Sonja wil trouwen. Maar dat het huwelijk alleen doorgaat als zij er bij is. Dat bericht kwam op het goede moment. Ik denk dat voor Anne-Linde het verschil tussen haar vader en moeder nu heel duidelijk is geworden. Stuivenvolt is een rustige, lieve man die zich nooit zal opdringen. Haar moeder wil te veel voor Anne-Linde regelen.'

Femke fronst haar voorhoofd. 'Ik snap het niet helemaal. Ze mag niet, maar ze komt wel?'

'Ze laat zich niet meer tegenhouden door haar moeder.'

'Dus zit ze nu in de problemen!'

'Nog niet. Ze denkt na over hoe ze dit het beste kan oplossen. Maar met kerst wil ze hier zijn. Het kan haar niet meer schelen wat haar moeder zegt.'

'Ze dúrft!' zegt Niels goedkeurend.

'Ik heb haar opgestookt,' biecht Liza op. 'Als ze nu niet doet wat ze wil, dan durft ze het nooit. Dan blijft ze altijd bang voor ruzie met haar moeder.'

'Iedereen heeft toch wel eens ruzie met zijn vader of moeder?' Niels kijkt de meisjes aan. 'Dat hoort erbij. Zo'n drama is dat toch niet?'

'Voor haar wel,' antwoordt Liza. 'Ze heeft alleen maar haar moeder. Sinds een paar maanden weet ze dat haar vader leeft. Er was haar iets anders verteld. Het is heel logisch dat ze haar ouders niet wil kwijtraken door ruzie.'

'Lastig,' zucht Femke.

'Wat doet ze als haar moeder niet meewerkt?' wil Niels weten. Liza haalt haar schouders op. 'Ze komt naar Burchtwaarde!'

'Ze moet geld voor de veerboot en vervoer naar Harwich hebben,' zegt Femke terwijl ze haar haren fatsoeneert.

De achterdeur gaat open. Drukpratend stappen Elles en Maarten de keuken binnen.

'Hallo allemaal!' groet Elles. 'Sorry dat het zo lang duurde. Er kwam natuurlijk van alles tussen. Zo gaat dat meestal. Ik ga nu niet meer koken. We hebben iets lekkers uit de hotelkeuken meegenomen.'

'Pannenkoeken?' vraagt Liza.

'Pizza's!'

'Dat is ook lekker.'

Tien minuten later zitten ze met elkaar aan tafel. De zelfgemaakte pizza's van de kok smaken heerlijk.

Liza licht haar ouders in over Anne-Linde.

Elles legt uit dat kinderen altijd loyaal zijn naar beide ouders, ongeacht de situatie. Ze willen niet kiezen tussen hun vader of moeder.

'Ik vind het raar dat ze van haar moeder niet naar Stuivenvolt mag!' zegt Liza.

'Dat is het ook.'

'Ze is bang dat Anne-Linde bij haar vader wil wonen.'

'Wie zegt dat?' Elles neemt haar dochter verwonderd op.

'Ik.'

'Heb je dat van iemand gehoord?'

'Nee. Ik denk dat ze daar bang voor is. Het moet doorgaan, mam,' fluistert Liza. 'Dan maken we er een groot feest van.'

'Als ze met de veerboot vanuit Harwich komt, kunnen wij haar uit Hoek van Holland ophalen,' biedt Maarten aan.

Liza kijkt haar vader stralend aan. Ze weet dat het in de kerstvakantie erg druk is in het hotel. 'Je bent een schat.'

'Een kleine moeite. Ik gun ze samen een geweldige kerst.'

Elles veegt haar mond schoon met een servetje en kijkt het kringetje rond. 'Zal ik contact opnemen met haar moeder?'

Niels kijkt haar vragend aan. 'En dan?'

'Gewoon een gesprek, van moeder tot moeder.'

Maarten schudt zijn hoofd. 'Denk je dat het iets uithaalt?'

'Waarom niet? Misschien lukt het mij om haar te overtuigen dat het goed zou zijn voor haar dochter.'

Liza zwijgt. Haar hersenen werken op volle toeren.

Wat is de beste manier om Anne-Linde te helpen?

'Een gesprek kan averechts werken. Ik zou iets anders verzinnen.'

'We kunnen een bericht via de e-mail sturen. Van ons allemaal,' oppert Liza.

'Dat moet indruk maken?' Maarten klinkt spottend. 'Die vrouw wil haar dochter niet naar Stuivenvolt laten gaan. Ze verandert niet van gedachten.'

'Wel als ze doorheeft dat Anne-Linde zich niet laat tegenhouden.'

'Dat hoop je,' prevelt Maarten.

Liza stopt het laatste stukje van de pizza in haar mond. 'Ik denk dat we niets moeten doen.'

Niels leunt met zijn rug achterover tegen de stoelleuning. 'Helemaal niets?'

'Alleen als Anne-Linde dat vraagt.'

'Je hebt gelijk. Zeg haar dat wij haar willen helpen,' zegt Maarten nadrukkelijk.

'Super,' glimlacht Liza tevreden.

HOOFDSTUK VEERTIEN

Niet blij

'Je bent stil,' merkt Elles op. 'Net was je nog zo tevreden.'
'Ik vraag me af hoe het met Anne-Linde gaat, zegt Liza.'
'Dat begrijp ik. Maar op dit moment kun je niets voor haar
doen. Ze heeft een beslissing genomen en zal het aan haar
moeder moeten vertellen.' Elles maakt een uitnodigend
gebaar naar de telefoon. 'Je mag haar bellen?'
'Niet doen!' waarschuwt Maarten. 'Haar moeder kon wel
eens het gevoel krijgen dat wij hier in Nederland met elkaar
een complot beraamd hebben.'
'Mag ik van tafel?' Liza kijkt haar ouders aan.
'Is goed,' knikt Elles.
Liza loopt naar de deur.
'Gaan we plannen maken?' vraagt Femke.
Liza haalt haar schouders op. Een half uur geleden was ze
er van overtuigd dat Anne-Linde zich niet meer zou laten
tegenhouden door haar moeder. Dat gevoel is verdwenen. Ze
is bang dat Anne-Linde zwicht voor de sterke wil van haar
moeder. Anne-Linde moet doorzetten.
'Wat ga je doen?' vraagt Femke.
'E-mail checken.'

'Zal ik meegaan?'
Liza knikt.
'Slecht voorgevoel?' vraagt Femke wanneer ze op het bed van
Liza gaat zitten.
'Ik ben zenuwachtig.'
'Logisch. Vanavond zal ze met haar moeder moeten praten.
Ik denk dat ze dit weekend naar Burchtwaarde wil komen.
Als het doorgaat, dan moeten wij van alles organiseren.'
'Alleen maar leuke dingen!' glimlacht Liza en klikt haar
mailbox aan. 'Er is een bericht van Anne-Linde.'
Femke gaat naast haar staan.

Hallo Liza.
Ik heb mijn moeder verteld dat ik naar mijn vader ga.
Ze was boos, teleurgesteld en misschien verdrietig tegelijk.
Ze wil niet dat ik dat doe.
Ze heeft een bijzondere verrassing voor me geregeld. Dat kan dan
niet doorgaan.
Ik weet dat ze met kerst naar Londen wil. Ze zullen wel een hotel
geboekt hebben.
Heel lief van haar. Maar ja, ik maak mijn plannen. Zij die van haar.
Zo denk ik daar nu over.
Toen ze net boven op mijn kamer kwam met een akelige blik in
haar ogen, heb ik
mijn reistas op het bed gezet en volgepakt met kleding.
Eerst bleef het stil.
'Ik wil niet dat jij de kerstdagen bij hem doorbrengt.'
Ik hoorde mijzelf heel rustig vertellen dat ik wél ga. 'Als ik niet naar
Harwich word gebracht, dan lift ik wel.'
Ze was stomverbaasd, maar probeerde dat niet te laten merken.
Ze heeft geen invloed meer op me. Dat is nooit eerder gebeurd. Ik
deed altijd wat zij wilde.

Ik vind het een moeilijke situatie, maar doe mijn best.
Anne-Linde.

'Haar moeder zal alles doen om haar tegen te houden,' zucht Liza.
'Hoe?'
'Ja, hoe? Bijvoorbeeld door te doen alsof ze erg ziek is, zodat Anne-Linde wel in Engeland moet blijven.'
'Dat vind ik vergezocht.'
'Ze wil Anne-Linde thuis houden.'
'Mail haar dat jouw ouders willen helpen en jouw moeder contact met haar moeder wil opnemen.'
'Kijk! Er is alweer een bericht van Anne-Linde binnengekomen.'
Hun ogen gaan snel over de tekst.

Hallo Liza!
Hier ben ik alweer.
Drama in huis.
Echt drama!
Toch kan ik er anders naar kijken. Ik ben minder bang en geef niet toe. Ik vertelde dat ik haar onredelijk vind.
Ik ben dertien en zij eist dat ik naar haar moet luisteren!
Ik antwoordde toen heel rustig: 'Mam, ik ben dertien en dat betekent dat kinderen zelf mogen kiezen bij wie ze gaan wonen wanneer hun ouders gescheiden zijn.'
Ze staarde me aan met grote ogen.
'Begrijp ik dat goed; wil jij bij die boer wonen?' Ze spuugde die woorden eruit.
De manier waarop ze dat zei, deed pijn.
Terwijl ik dit schrijf zitten mijn moeder en stiefvader beneden in de kamer.

Ik hoor mijn moeder af en toe met luide stem praten. Ze voelt zich door hem in de steek gelaten, omdat hij begrip voor mij heeft. ;-)

Morgen zal hij een ticket voor de veerboot regelen.

'Het komt wel goed,' zei hij. 'Jouw moeder moet aan het idee wennen dat je geen klein kind meer bent. Ze draait wel bij.'

'Als ze dat niet doet?'

'Dan ga ik weg. Net als jij.'

Hij meende het. Ik schrok, maar vond het tegelijk lief van hem. Dus, morgen horen jullie hoe laat ik aankom.

Blij voel ik me niet. Omdat het op zo'n nare manier gaat.

Maar als mijn stiefvader gelijk heeft, komt alles goed.

Niets aan mijn vader vertellen hoor!

Het moet een verrassing zijn.

Ik ga zo naar beneden en hoop dat er met mijn moeder te praten valt.

Ik sluit mijn computer af.

Morgen stuur ik de reisgegevens door.

Tot gauw.

Anne-Linde.

HOOFDSTUK VIJFTIEN

Eindelijk

De volgende dag krijgen ze inderdaad de beloofde informatie van Anne-Linde. Via een kort berichtje geeft ze de tijdstippen van haar vertrek en aankomst door. Over haar moeder schrijft ze niets.

Langzaam maakt de spanning bij Liza plaats voor opwinding. Eindelijk kunnen ze beginnen met het organiseren van een bijzondere kerstmis voor Reitze Stuivenvolt. Als er iemand is die dat verdient, is hij dat.

Liza stuurt een sms'je naar Femke.

Ticket geregeld.
Nu moeten wij alles regelen.
Vanmiddag 16.00 uur bij Binky?
Niels mag ook komen ;-)
Liza

De schooldag duurt vreselijk lang. Liza's gedachten zijn alleen maar bij de naderende kerstvakantie.

Het allerbelangrijkste is dat Liza en haar vader elkaar op een ontspannen manier leren kennen.

In Liza's hoofd ontstaan prachtige ideeën, maar de meeste dingen zijn niet of nauwelijks uitvoerbaar.

Als om half vier de zoemer gaat, verdwijnt Liza als eerste van het schoolplein.

Rond vier uur zet Liza buiten adem haar fiets tegen een boom en holt naar het hek. 'Binky! Binky!'

De pony staat naast het clubhuis te grazen. Hij tilt zijn hoofd op en hinnikt!

'Kom je me niet ophalen?' Teleurgesteld klimt ze over het hek, ritst haar rugzak open en houdt een winterwortel omhoog. 'Wat dacht je hiervan?'

Binky bedenkt zich geen seconde en draaft naar haar toe.

Liza zucht. 'Het gaat niet om mij, maar om de wortels.'

Terwijl Binky aan de wortel knabbelt, vlijt Liza haar hoofd tegen zijn warme hals. Zo hangt ze vaak tegen de pony. Dat voelt heerlijk. Met haar vingers kriebelt ze tussen zijn oren.

'Leun je lekker?'

Verbaasd draait Liza haar hoofd om. Niels en Femke zitten naast elkaar op het hek. Ze heeft niet gemerkt dat het tweetal gearriveerd is. 'Wat zijn jullie vroeg!'

'Ik mocht mee, dus hoefden we geen uren afscheid te nemen in de fietsenstalling bij school,' antwoordt Niels plagend.

'Naar zolder?' vraagt Femke.

'Nope!' Liza klopt zachtjes op Binky's hals. 'Eerst Binky borstelen en rijden. Gisteren heeft hij te weinig aandacht gehad.'

'En ik dan?' Niels neemt zijn zus afwachtend op.

'Heb je te weinig aandacht van Femke gehad?'

'Nee, dat bedoel ik niet. Als jullie borstelen, heb ik niets te doen.'

'De stal moet schoongemaakt worden.'

'Dames, dat is geen werk voor mij.'

'Wil je echt rijden?' vraagt Femke.

'Nu kan het nog. Als er over een paar dagen een dik pak sneeuw valt, wordt het niks.'

'Dat is waar.'

'Als je geen zin hebt, dan rij ik wel,' grinnikt Liza. 'Dat is voor mij geen probleem. Dan kun jij Niels gezelschap houden.'

'Jij bent een lieve, begrijpende vriendin.'

'Dank je.'

Lachend haalt Femke de borstelbox uit het clubhuis.

Binky blijft rustig bij het hek staan, terwijl de meisjes zijn hoeven krabben en vacht borstelen.

Niels kijkt vanaf het hek toe.

'Zondag is ze om half vijf in Hoek van Holland. Dan moeten we naar Burchtwaarde terugrijden en zijn we aan het begin van de avond thuis,' zegt Liza

'Wat doen wij als bestuur van het Burchtwaarder ontvangstcomité?' Niels wrijft zijn handen warm.

'Ze gaat eerst mee naar ons huis,' antwoordt Liza. 'Maar het zou leuk zijn om diezelfde avond een bezoekje aan het clubhuis te brengen.'

'In het donker?' vraagt Femke.

'Ja, in het donker. We nemen zaklampen mee. Dan ziet Anne-Linde Binky!'

'Dat is wel gaaf,' reageert Femke enthousiast en kijkt opzij naar Niels. 'Wat vind jij?'

'Doen! Binky is eigenlijk haar pony!'

Femke haalt een schrijfblok en pen uit haar rugzak. 'Ik zal punt één van het programma noteren. Als het gaat lukken,' giechelt ze.

'Misschien willen pap en mam ook mee naar ons clubhuis,' oppert Liza.

'Laat dat maar van de situatie afhangen,' zegt Niels.

'Er is een minpuntje,' bedenkt Femke zich. 'Sonja en Stuivenvolt mogen haar niet zien.'

Liza denkt een paar seconden na. 'Ze komen bijna nooit naar het clubhuis.'

'Wel als ze er 's avonds licht zien branden.'

'Dan zeggen we van tevoren dat we zondagavond in het clubhuis zijn. Dan komen ze niet kijken.'

'Stel je voor dat Stuivenvolt toevallig wél komt.' Niels kijkt de twee meisjes beurtelings aan.

Liza perst haar lippen op elkaar. 'Dan doen we de deur op slot. Voordat hij boven is, heeft Anne-Linde zich kunnen verstoppen.'

'In de kast; vier keer over dwars dubbelgevouwen,' grapt Niels.

Het risico dat ze ontdekt wordt door Stuivenvolt of Sonja is volgens Liza klein.

'We versieren het clubhuis met slingers en ballonnen,' zegt Femke.

'Hartstikke leuk!' roept Liza uit. 'Buiten hangen we lantaarns met kaarsjes. Dan ziet het er heel sprookjesachtig uit.'

'Doen?' Femke houdt de pen boven het papier.

'Ja, doen!' antwoorden Niels en Liza tegelijk.

Na aankomst eten we met elkaar in het hotel of thuis bij familie Lienhout.

Dan stellen we voor om met Anne-Linde naar Binky te gaan.

We verwelkomen haar in een versierd clubhuis. Lichtjes, lantaarns, slingers en dergelijke.

Hapjes? We bespreken onze plannen met haar. Zij is de Grote Verrassing voor Stuivenvolt.

Wanneer zien ze elkaar voor het eerst?

Organiseren wij een diner voor Sonja, Stuivenvolt en Anne-

Linde? Zo ja, waar gaan we dat doen? In het clubhuis of hotel?

Komt er een kerstboom met pakjes op de boerderij of zolder van het clubhuis?

Hoe komen we aan geld om cadeautjes te kopen?

'Dat is een probleem,' vindt Niels. 'We hebben maar twee dagen de tijd om geld te verdienen.'

'Een inzamelingsactie in het hotel?' oppert Liza.

'Onder het personeel?'

Ze knikt.

Niels schudt afkeurend het hoofd. 'Dat kan wel als ze gaan trouwen, maar niet voor kerstcadeautjes.'

'Ramen van auto's wassen? Valt daar geld mee te verdienen?' peinst Liza.

'Er zijn vast wel klusjes in het hotel,' hoopt Niels. 'Het magazijn opruimen, afwassen...'

'Overmorgen moeten de cadeautjes gekocht worden,' zegt Femke. 'Veel tijd is er niet.'

'Na het ponyrijden gaan we aan de slag,' beslist Femke.

'Waarmee?'

'Lampjes en slingers opzoeken.'

'Eindelijk gaan we iets doen,' lacht Liza tevreden.

HOOFDSTUK ZESTIEN

Iets aan de hand?

Liza, Femke en Niels zitten een dag later op de clubzolder zich suf te piekeren hoe ze in twee dagen tijd geld kunnen verdienen.

Stuivenvolt heeft voor een elektrische radiator gezorgd. Die staat voor hun benen en zorgt voor een heerlijke warmte.

Niels kent een jongen die bij een vervoersbedrijf werkt. 'Van hem weet ik dat ze een schoonmaakploeg voor de weekenden hebben die dertig vrachtwagens van binnen en buiten schoonmaakt. Ik kan vragen of ze morgen toevallig iemand nodig hebben.'

'Heb je zijn nummer?' vraagt Femke.

Niels zoekt in zijn telefoon en knikt. Hij loopt naar de andere kant van de zolder en wacht totdat er opgenomen wordt. Een minuut later voegt hij zich weer bij Liza en Femke.

'Je kijkt niet erg enthousiast,' merkt Liza droogjes op.

'Ze hebben voldoende mensen.'

'Had ik wel verwacht.'

'Niet geschoten, altijd mis!' Niels haalt zijn schouders op.

Femke staat op en loopt naar de steile trap. 'Wil er iemand thee?'

Natuurlijk,' glimlacht Liza.

Femke gaat naar beneden. In het piepkleine keukentje staat een waterkoker.

Binky stommelt in de stal rond.

'Toen Stuivenvolt net met de tractor voorbij reed, maakt hij een praatje met me. In mijn enthousiasme versprak ik me bijna.'

'Als je dat maar laat,' bromt Niels.

'Wanneer ik aan het moment denk dat hij Anne-Linde zal zien, krijg ik tranen in mijn ogen.'

'Stuivenvolt gelooft zijn eigen ogen niet. Ik vind het dapper dat ze komt. Ze heeft thuis een groot probleem.'

Een paar maanden geleden is Anne-Linde in het geheim in Burchtwaarde geweest. Ze heeft Binky en haar vader wel gezien.[1] Van een gewone ontmoeting, tussen vader en dochter, is geen sprake geweest.

Deze keer wordt het een echte ontmoeting!

'Zou Anne-Linde blij zijn?' vraagt Liza.

'Blij?' Niels knippert met zijn ogen. 'Domme vraag. Natuurlijk is ze blij.'

'Het is geen domme vraag,' antwoordt ze verontwaardigd. 'Het is de vraag of ze blij kan zijn. Ze gaat op een nare manier bij haar moeder weg en zal er tegen op zien dat ze weer terug moet. Het is niet feestelijk.'

'Dat is waar,' geeft hij toe.

'Hoorden jullie dat?' Femke komt voorzichtig met de gevulde waterkoker de trap op.

'Nee,' grinnikt Niels. 'Ik heb niets gehoord.'

'Geluid van een motor.'

Niels rekt zich uit om een blik op het erf van Stuivenvolts

---

1. Deel 2: Binky waar ben je?

boerderij te werpen. 'Hij zal wel bezig zijn.'

'Het geluid kwam niet van zijn erf.'

'Iemand op een crossmotor in het bos?'

Femke schudt het hoofd. 'Het klonk anders.'

Liza staat op en loopt naar de andere kant. 'Ongerust?'

'Nee, dat niet. Ik vond het een vreemd geluid.'

Femke en Liza staan een tijdje roerloos bij het achterste zolderraam te luisteren.

'Zul je altijd zien,' grinnikt Femke. 'Wil je graag dat anderen het horen, wordt het doodstil. Pak jij theezakjes?'

'Die liggen al klaar,' vertelt Liza. 'Zoethout-smaak.'

Ze schuiven weer naast elkaar op de bank tegenover de warme radiator.

Er worden nog wat klus ideetjes bedacht, maar ze weten bij voorbaat al dat het niets wordt.

'Dan zullen we thuis moeten vragen of er in het hotel geld voor ons valt te verdienen,' zucht Liza. 'Iets anders weet ik niet. We hebben sponsors nodig.'

'Misschien kunnen we bij boeren in de omgeving paardenstallen uitmesten,' bedenkt Femke.

'Mag ik bedanken. Ik heb rugklachten,' liegt Niels.

'Geen geld, geen pakjes,' beslist Femke.

'We kunnen naar de supermarkt fietsen,' stelt Liza voor. 'Er hangen daar wel eens kaartjes op het advertentiebord van mensen die iemand zoeken.'

'Als daar niets hangt, dan vind ik het wel best.'

'Bij een verhuisbedrijf misschien,' peinst Niels.

Ze drinken hun thee en eten biscuitjes met een dikke laag pure chocolade.

Voor het donker willen ze naar Burchtwaarde, dus blijven ze niet lang meer.

Voordat ze weggaan, bekijkt Liza de spulletjes die ze bij elkaar gezocht hebben. Drie lange slingers, ballonnen en prachtige buitenverlichting aan een lang snoer. Dat kan prima aan de dankgoot van het clubhuis bevestigd worden. Femke heeft drie grote buitenlantaarns met grote kaarsen van haar moeder gekregen.

'Morgen versieren?' vraagt Niels. 'Of zondagochtend?'

De meisjes halen hun schouders op.

Femke vraagt of er nog een kerstboom in het clubhuis moet.

'Het is een heel gedoe om die boven te krijgen.'

'Wel leuk,' grijnst Liza.

'Als we geld hebben, kunnen we cadeautjes kopen om onder de kerstboom te leggen.'

'Kerstbomen zijn duur,' weet Niels te melden.

'Er staan er genoeg in het bos,' grinnikt Femke.

'Het is strafbaar om iets uit het bos te halen.'

'Niemand die het ziet.'

'Het mag niet,' zegt Niels. 'Ik werk er niet aan mee.'

'Held op sokken,' plaagt Femke.

'Ik wil geen strafblad.'

Liza wordt gebeld. Verbaasd kijkt ze op het scherm en druk op de groene knop. 'Hallo pap. Met mij.'

'Waar hang je uit?'

'In het clubhuis.'

'Met Femke en Niels?'

'Ja.'

'Kunnen jullie binnen een kwartier in het hotel zijn?'

'Is er iets gebeurd?'

'Dat leg ik straks wel uit.'

'Waar gaat het over?'

'Er is iemand die dringend hulp nodig heeft.

'Waarmee?'

'Als je hier bent, hoor je het.'

'We komen er aan.' Liza stopt haar telefoon in de broekzak en spoort de anderen aan om hun jas te pakken. 'We moeten direct naar het hotel. Iemand heeft hulp nodig. Geen vragen stellen, want ik weet niet meer dan wat ik nu heb gezegd.'

Femke en Niels wisselen een vragende blik uit.

Wat zou er aan de hand zijn?

HOOFDSTUK ZEVENTIEN

Ponykracht!

'Vreemd,' Niels kijkt zijn zus vragend aan. 'Pa kan toch gewoon zeggen wat er is?'
Dat vindt Liza ook.
Femke loopt naar de stal. Ze draagt een goed gevulde voerbak met kuil. 'Opzij!' commandeert ze en geeft de pony, die dwars voor de opening staat, ruimschoots de gelegenheid naar achteren te gaan. Als de voerbak hangt, begint Binky meteen te eten. Liefkozend streelt Femke over Binky's hals en rug.
Liza stapt door het stro naar de anderen kant van de pony.
'Wat ben jij een vreetzak,' zegt ze.
'Als ik eet, wil ik liever met rust gelaten worden,' zegt Niels die met een schouder tegen de deurpost geleund staat.
'Binky doet niet moeilijk,' antwoordt Femke. 'We mogen gewoon bij hem blijven staan als hij eet of drinkt.'
'De meeste dieren dulden geen anderen om zich heen.'
'Binky eigenlijk ook niet,' grijnst Liza. 'Maar wij zijn speciaal.'
'Dé Pony Friends!' knikt Niels plechtig.
Liza vindt het vervelend dat Binky minder aandacht krijgt.

De pony trekt het zich blijkbaar aan. Een tijdje geleden was er ook een periode waardoor ze minder vaak bij hem konden zijn. Dat liet hij merken door de meisjes te negeren. Hij kwam niet naar het hek om hen te begroeten.
Femke en Niels lopen langzaam door het gras. Ze hebben alleen oog voor elkaar.
Liza geeft de pony een knuffel. 'Anne-Linde komt. Ze wil jou en Stuivenvolt zien. We willen er graag een bijzonder feest van maken. Daarom hebben we minder tijd voor jou. We willen allemaal leuke dingen organiseren. Begrijp je dat?'
Ze gaat voor Binky staan. Hij kijkt haar met een rustige blik aan. 'We vinden je de liefste pony van de hele wereld en dat zal nooit veranderen.'
'Liza?' Niels staat midden in het weiland op haar te wachten. 'Opschieten! We willen weg.'
'Ik kom al! Ik heb Binky uitgelegd waarom hij ons iets minder ziet.'
'En, kon hij er begrip voor opbrengen?' vraagt Niels grappig.
'Met moeite. Hij kan niet te lang zonder ons.'
Slingerend fietsen ze even later achter elkaar over het smalle paadje tussen de struiken door.
'Ik ben een beetje zenuwachtig,' roept Liza.
'Omdat we naar het hotel moeten?'
Ze knikt.
Zwijgend fietsen ze langs de hoofdingang van hotel 'De Oude Burcht'. Maarten Lienhout staat bij een raam van het restaurant. Hij voert een gesprek met een man.
Er is niets bijzonders te zien.
Ze stallen hun fietsen op de binnenplaats.
In de grote hotelkeuken is het spitsuur begonnen.
Als het drietal door de gang loopt, steekt Sonja vrolijk haar hoofd om het hoekje van de deur.

'Ik verzoek de dames en heer hun modderige laarzen uit te doen. Wij houden in dit hotel van schone vloeren!'
'Ai!' Liza slaat een hand voor haar mond. 'Helemaal vergeten.'
Maarten komt hen tegen in de gang. 'Fijn dat jullie zo snel gekomen zijn.'
Liza kruist haar armen voor haar borst. 'Je hebt ons nieuwsgierig gemaakt. Waarom kon je het niet via de telefoon vertellen?'
'Omdat het een vreemd verzoek is,' lacht hij. 'Jullie hebben bijna vakantie en dan is het laatste waar jullie aan denken; werken.'
'Hoezo, werken?' Niels staart zijn vader niet begrijpend aan.
'Werken in de kerstvakantie.'
Niels, Liza en Femke schieten in de lach.
Maarten krabt zich achter het oor. 'Heb ik iets verkeerds gezegd?'
'We zoeken alle drie tijdelijk werk!' deelt Niels plechtig mee.
'Hooguit voor twee dagen.'
'Meen je dat?'
'Ja, pap. Af en toe willen we graag de handen uit de mouwen steken. We hangen aan je lippen. Vertel het maar,' dringt Liza ongeduldig aan.
'Ik heb in het najaar een paar kerstbomen voor het hotel besteld. Dit nieuwe bedrijf biedt de mogelijkheid om kerstbomen te huren. Die worden vlak voor kerst bezorgd en later weer opgehaald. De bomen worden weer teruggeplant. Volgend jaar kan ik dezelfde boom weer krijgen. Dat idee sprak mij wel aan. De jongeman die het bedrijf van zijn vader overnam, heeft allerlei milieubesparende veranderingen doorgevoerd. Maar hij moest vorige week een rugoperatie ondergaan. Hij moet absolute rust houden. Zijn vader

wil graag helpen, maar er is geen tractor. Zijn zoon wil het milieu zo weinig mogelijk belasten en gebruikt geen tractor om de bomen uit het bos te halen. Ergens een tractor lenen, is geen optie. Dat wil zijn zoon niet.'

'Hoe vervoert hij de bomen dan?' vraagt Niels. 'Op zijn nek of achter zijn fiets?'

'Deels per boot. Tenminste als er geen ijs ligt. Hij heeft nog een ander perceel bos in gebruik. Dat ligt afgelegen. Daar kun je niet met een gewone auto met aanhanger komen. De beste man kwam mij vragen of ik mensen kende die hem kunnen helpen. De kerstbomen moeten opgehaald worden.'

'Op welke manier doet zijn zoon dat?' wil Niels weten.

'Heel eenvoudig; met paard en wagen.'

'Net zoals vroeger. Wat is het probleem?'

'De vader heeft geen ervaring met paarden.' Maarten kijkt naar de twee meisjes. 'Jullie wel.'

'Pap!' komt het verontwaardigd uit Liza's mond. 'Dat heb je toch niet tegen die man gezegd? We hebben geen ervaring!'

'Nee?!' Met grote verbaasde ogen kijkt hij hen aan. 'Dat maak je mij niet wijs. Jullie noemen je zelf de Pony Friends. Dus...'

'Wat, dus?' Liza schudt afkeurend haar hoofd.

'Ik was er al bang voor,' mompelt Maarten.'Een paard is iets anders dan een pony, hè?'

'We kennen dat paard niet. Ik durf dat echt niet, pap.' Liza kijkt naar Femke. 'Jij?'

Femke schudt het hoofd.

Maarten slaakt een zucht. 'Willen jullie het niet proberen? Het zijn aardige, hardwerkende mensen. Die vader wil graag dat die bomen het bos worden uitgesleept en met een kar naar het bedrijf in Burchtwaarde worden gebracht. Vanaf daar kan hij voor vervoer naar de klanten zorgen.'

'Het lijkt mij niet verstandig,' mompelt Femke.

'Het paard is getraind om in het bos te werken. Zijn vader heeft geen ervaring met paarden. Ik heb over jullie verteld en hij hoopt dat jullie willen helpen. Alles dreigt mis te gaan. Veel mensen zullen hun bestelde kerstboom niet op tijd krijgen.'

Liza en Femke wisselen een blik met elkaar.

Beiden zijn het er over eens dat het niet verantwoord is om met een onbekend paard aan het werk te gaan Ze hebben veel te weinig ervaring. Binky is hun eerste verzorgpony!

'Hij kan beter contact opnemen met de eigenaar van een manege,' oppert Femke. 'Die kennen genoeg mensen die ingeschakeld kunnen worden.'

'Volgens mij is er geen probleem,' lacht Niels. 'Die kerstbomen hoeven toch niet per se met paardenkracht vervoerd te worden?'

'Wat bedoel je?' Maarten neemt zijn zoon fronsend op.

'Mag het ook met 'ponykracht'?'

Even is het stil.

'Dat we daar niet eerder aan gedacht hebben!' lacht Liza opgewekt.

Maarten haalt zijn schouders op. 'Wat bedoelen jullie?'

'Dat we kunnen helpen als Binky voor de kar wordt gespannen!'

'Zie je wel,' glimlacht Maarten tevreden. 'Ik wist dat het ging lukken. Kom mee, dan gaan we het goede nieuws vertellen.'

Reddende Engel

Met grote stappen beent Maarten door de gang naar het restaurant. Femke, Niels en Liza volgen hem op de voet.
'Het gaat lukken!' vertelt Maarten aan een forse man met achterover gekamd, golvend grijs haar.
Verschillende gasten draaien verbaasd het hoofd om.
De man schuift zijn lege kop koffie naar het midden van de tafel en staat glimlachend op. 'Wonderen bestaan dus echt! Mag ik mij even voorstellen? Ik ben Kees Middeldam, de vader van Daan.'
Ze schudden hem de hand.
Hij ziet meteen dat Niels en Liza broer en zus zijn.
'Kan niet missen,' beaamt Maarten Lienhout met trots in zijn stem. 'Allebei zwart haar en lichtblauwe ogen.'
'Jullie zijn dé Pony Friends?' Meneer Middeldam maakt een hoofdbeweging in de richting van Liza en Femke.
'Ja. En ik ben een vriend van de Pony Friends,' grijnst Niels. 'Ik heb geen ervaring met paarden.'
Meneer Middeldam richt zijn aandacht op de twee meisjes.
'Jullie wel? Jullie kunnen ons toch helpen?'
'Dat is nog niet helemaal zeker,' antwoordt Liza. 'We weten

namelijk niet hoeveel PK u nodig heeft.'

Kees Middeldam begrijpt niet wat ze bedoelt.

'U heeft paardenkracht nodig. Maar wat zou u er van vinden als onze verzorgpony voor de wagen gespannen wordt? Onze Binky is supersterk!' voegt Liza er trots aan toe.

'Dat zou een geweldige oplossing zijn. Bels, het paard van mijn zoon wil graag werken. Hij is gehoorzaam, maar kent jullie niet.'

'Binky is wat u betreft geen probleem?'

De man schudt aarzelend zijn hoofd. 'Als het geen Shetlander is.'

Liza en Femke schieten in de lach.

'Binky is groter! Hij is een IJslandse pony.'

'Dan gaat het helemaal goed komen.' Meneer Middeldam pakt zijn mobiele telefoon om Daan te informeren.

Vader en zoon voeren een kort overleg. Daan wil weten wanneer het drietal aan de slag kan. Er zijn veel bestellingen en de tijd dringt. Bij verschillende horeca gelegenheden, buurthuizen, kerken en een heleboel particulieren moeten kerstbomen bezorgd worden.

'Morgenmiddag kunnen we beginnen!' zegt Niels.'Vanavond hebben we kerstgala op school. Morgenochtend nog even naar school en dan hebben we kerstvakantie.'

'Geweldig!' Meneer Middeldam steekt zijn duim op.

Daan wil de kinderen graag ontmoeten, dus spreken ze af om direct bij zijn vader in de auto te stappen om kennis te maken.

'Hoe raar het kan gaan,' grinnikt Liza.

'Ik heb er wel zin in,' zegt Femke. 'Kerstbomen uit het bos slepen met Binky! Te gek!'

'Jullie mogen eerst wel een paar schietgebedjes doen,' adviseert Niels.

Liza staart hem aan. 'Waarom?'
'Het is de vraag of Binky het wil.'
'Daar zeg je zoiets.' Liza kijkt haar broer ernstig aan. 'Maar ik weet dat alles goed zal komen.'
'Ja? Dat weet je zeker?'
Liza knikt bevestigend. 'Als Binky geen zin heeft om de wagen te trekken, dan zou dat voor jou een geweldige kans zijn om indruk op Femke te maken.'
'Wat bedoel je?'
'Denk eens na, lieve grote sterke broer. Jij kunt laten zien hoe ontzettend sterk jij bent door de wagen met kerstbomen door het bos trekken.'
'Goh, daar zeg je zoiets.'
Liza neemt voor in de auto plaats. Niels en Femke gaan op de achterbank.
'Handen thuis,' fluistert Liza over haar schouder.
'Waar bemoei jij je mee?' giechelt Femke.
Daan Middeldam woont in een klein huis naast de boomkwekerij aan de andere kant van Burchtwaarde.
Femke herinnert zich dat ze er met haar ouders wel eens is geweest.
'Daan heeft mijn bedrijf overgenomen, nadat hij een tijd in Afrika heeft gewoond,' begint meneer Middeldam. 'Hij heeft veel van de wereld gezien, maar ook ontdekt dat de mensen slecht met de natuur omgaan. Het stond al een paar jaar vast dat hij ons bedrijf zou overnemen. Op een dag kwam hij naar me toe en zei dat hij het bedrijf natuurvriendelijk wilde proberen te runnen. 'Misschien hoef ik geen machines en tractor te gebruiken,' had hij gezegd. Ik verklaarde hem eerst voor gek. Maar Daan meende wat hij zei. Ik ga het ontdekken! Ik probeer het. Als jullie het er niet mee eens zijn, neem ik het bedrijf niet over en ga ik iets anders doen.'

'Jullie waren het er wel mee eens?' constateert Liza op vragende toon.

'Ja. Daan heeft gelijk. Wij mensen kiezen voor luxe. We willen het allemaal zo gemakkelijk mogelijk hebben. De technische ontwikkelingen zijn nauwelijks bij te benen. Maar hij vraagt zich af of al die ontwikkelingen wel noodzakelijk zijn. De meeste brengen de natuur schade toe. Dat we nu in een auto rijden, is een doorn in het oog van mijn zoon. Hij doet zijn best het milieu te sparen. Hij heeft een bakfiets, een roeiboot en een paard. Hij kan rondkomen met het geld dat hij verdient. In een jaar tijd heeft hij een grote klantenkring opgebouwd. Deze mensen steunen zijn idealen. Toen hij dat huurplan van de kerstbomen bedacht, waren veel mensen enthousiast. Nu het zover is, kan hij niet werken vanwege de herniaoperatie. Mijn vrouw en ik dachten dat hij het wel goed zou vinden om ergens een tractor te lenen om op die manier de bomen uit het bos weg te halen. Maar dat wilde hij pertinent niet. Hij heeft principes en daar houdt hij zich aan. Ik waardeer het enorm, maar het levert nu problemen op.'

'Ik vind het goed wat hij doet,' mompelt Liza.

'Mijn vrouw en ik zijn trots op hem. Hij heeft onze ogen geopend, daardoor leven we bewuster.'

'Iedereen weet dat het slecht gaat met de aarde,' knikt Niels. 'Maar er zijn maar heel weinig mensen die iets doen om dat te veranderen.'

'Veranderen is voor mensen moeilijk,' zegt meneer Middeldam. 'Alles draait om geld.'

'Eigenlijk helpt het niet als een handjevol mensen de natuur proberen te redden,' zucht Femke.

'Iemand moet beginnen,' vindt Niels.

'Eerlijk gezegd, had ik geen hoge verwachtingen van de

manier waarop mijn zoon verder wilde met het bedrijf. Maar door zijn inzet, heeft hij mensen wakker gemaakt. Ze vinden het bijzonder wat hij doet en door hem dragen zij ook een steentje bij aan een beter milieu. Alle kleine beetjes helpen.'

Tien minuten later parkeert meneer Middeldam zijn auto voor een grote loods. Daarnaast is een kleine woning met landerijen rondom.

'Kijk!' Liza wijst naar het paard dat zijn hoofd nieuwsgierig over de onderdeur uitsteekt. Natuurlijk willen ze eerst naar het paard.

'Daar past Binky wel twee keer in!' roept Femke uit. 'Wat een PK, wat een kanjer!'

Daan Middeldam komt voorzichtig over het erf naar hen toegelopen. Hij begroet iedereen enthousiast en vindt het geweldig dat ze hem uit de brand helpen.

'Hierachter ligt de kwekerij,' benadrukt hij.

Later, wanneer ze binnen zijn, geeft hij hun kopieën van lijsten waar de kerstbomen bezorgd moeten worden.

'Het is veel werk,' waarschuwt hij. 'Want je moet een paar keer terug om een nieuwe lading kerstbomen te halen. Het wordt behoorlijk sjouwen. Jullie krijgen van mij speciale handschoenen. Anders houd je geen handen meer over. Voor eten en drinken wordt gezorgd.' Daan wijst naar zijn vader. 'Hij gaat met jullie mee om een oogje in het zeil te houden, en mee te tillen. Maar niet met de auto.'

De mannen lachen naar elkaar.

Daan hoopt dat alles in anderhalve dag gedaan kan worden. Dan heeft iedereen de kerstboom op tijd.

Lang blijven ze niet. Femke en Niels moeten naar het kerstgala van school.

Als ze terug zijn in hotel De Oude Burcht vraagt Femke zich

af of ze geld verdienen. Daarover is namelijk niet gesproken. 'Ik denk het niet,' antwoordt Liza. 'Ik vind het niet erg. Het lijkt me supergaaf om met Binky als Reddende Engel kerstbomen te bezorgen. Dat heeft wel iets.'
Dat vinden Niels en Femke ook.

HOOFDSTUK NEGENTIEN

Kappen!

Het is vrijdagochtend. Liza en Niels fietsen het eerste stuk samen naar school. Buiten is het nog donker.
'Je hebt niets over het kerstgala verteld,' zegt Liza.
Niels werpt een geërgerde blik opzij. 'Het was leuk.'
'Je klinkt superenthousiast.'
'Ik heb geen zin om er over te praten.'
Liza's gezicht betrekt. Zou er iets gebeurd zijn?
Zwijgend naderen ze het kruispunt, waar ze elk een andere kant op moeten.
'Femke?'
'Wat, Femke?'
'Het was haar eerste kerstgala. De nieuwe jurk...'
'Ze zag er mooi uit,' onderbreekt hij haar.
'Die had ze van haar ouders gekregen.'
Niels knikt bevestigend.
'Vertel eens wat er is?'
'Zeur niet.'
'Hebben jullie ruzie?'
Niels tuurt nors voor zich uit.
Liza zet haar voet op de stoeprand. 'Hoe laat ben je thuis?'

Niels fietst door.
'Ik vroeg iets!'
'Dat weet je toch? Half één!'
'Geen zin meer?'
'Niet in dat gezeur van jou!'
'Chagrijn!'
Met een vervelend gevoel fietst Liza verder naar school.
Vanochtend heeft Niels bijna geen woord gezegd. Dat viel
papa ook op. Hij maakte daar een opmerking over. Niels
mompelde dat hij moe was.
Een smoes! Niels en Femke hebben vast ruzie. Ze heeft hem
nooit eerder zo kribbig meegemaakt als nu.
Zie je wel! Verliefdheid veroorzaakt vervelende toestanden.
Liza stapt van haar fiets af en pakt haar mobieltje uit haar
zak. Ze wil uitvissen wat er aan de hand is. Ze had ontzet-
tend veel zin om met Binky, Femke en Niels kerstbomen uit
het bos te halen!
Als het niet goed zit tussen die twee, is de sfeer waardeloos.
Bah!

Hi Femke.
Was het kerstgala leuk?
Niels vertelt niets.
Ruzie?

Na even te aarzelen, verstuurt ze het sms'je en fietst in een
rustig tempo door naar school. Ze hoopt snel een reactie te
krijgen, maar die blijft uit.
Met tegenzin stapt Liza later het klaslokaal in. Het is prachtig versierd met lichtjes voor de ramen. De kerstboom met
alleen maar zilveren ballen staat gezellig in een hoek op een
tafel.

De meester leest een modern kerstverhaal voor. Daarna drinken ze warme chocolademelk met een kerstkrans en doen in kleine groepjes spelletjes.

Ze zit bij een leuke groep. Toch dwalen haar ogen steeds naar de klok.

Liza hoopt dat Femke en Niels de ruzie hebben bijgelegd. Was ze maar bij Binky.

Eindelijk is de lange ochtend op school voorbij.

De meester houdt een korte toespraak. Hij wenst iedereen een geweldige kerstvakantie toe en een goed begin van het nieuwe jaar. Als hij de deur van het klaslokaal opent staat Liza als eerste op de gang. In een vlot tempo fietst ze naar huis. Onderweg zit ze soms achterstevoren op het zadel in de hoop Niels en Femke te zien.

Bij thuiskomst blijkt Niels er al te zijn.

Opgewekt stapt ze binnen. Alsof er niets aan de hand is.

'Is Femke er nog niet?'

Niels staat bij het aanrecht boterhammen te smeren. 'Hoeveel boterhammen wil jij?'

'Vier.'

'Kaas?'

'Twee kaas, twee jam.' Ze ploft op een keukenstoel.

'Pap en mam waren net thuis,' vertelt Niels terwijl hij met de rug naar haar toe staat. 'Ze moesten weg, maar zeiden dat we ons warm moeten aankleden.'

'Mm,' knikt Liza. 'Het is buiten koud.'

Een minuutje later zitten ze tegenover elkaar aan tafel.

'Wanneer komt Femke?'

Niels schokschoudert.

'Wat is er?!' valt ze uit.

'Niets.' Hij neemt een hap van zijn boterham.

'Gaan we de kerstbomen nog ophalen?'

'Natuurlijk.'

'Femke heeft mij niet gebeld of gemaild. Ze had beloofd dat ze iets van zich zou laten horen. Over het kerstgala bijvoorbeeld. '

'Dat was geen succes.'

Het blijft lang stil.

'Twee meisjes uit mijn klas hebben het verziekt,' vertelt hij dan.

'Ik begrijp het,' mompelt Liza geschrokken.

'Ze hebben haar belachelijk gemaakt. Femkes jurk werd afgekraakt. En ze vonden het zielig voor mij dat zij mijn vriendin was. Toen ik bij haar kwam, had ze tranen in haar ogen. Eerst wilde ze niet zeggen wat er was.'

'Ben je naar die meisjes gegaan?'

'Dat mocht niet van haar.'

Liza weet dat Femke vaak onzeker over zichzelf is. Dat zijn de meeste mensen.

Zij zelf ook.

'Ze zag je vaak bij leuke meisjes uit jouw klas en kon zich niet voorstellen dat jij haar leuk zou vinden.'

'Wat je leuke meisjes noemt,' snuift hij. 'Ik heb Femke gezegd dat zij speciaal is voor me, maar ik had net zo goed tegen een bankstel kunnen praten.'

'Wat nu?'

'Femke vond beter om te kappen.'

'Wat?!'

Niels loopt de keuken uit.

'Niels! Dat gaat niet gebeuren!' roept ze hem na.

HOOFDSTUK TWINTIG

Prins op pony!

'Nee? Gaat dat niet gebeuren?' imiteert Niels spottend.
'Femke heeft het officieel uitgemaakt.'
'Dat meen je niet!' Liza springt op en trekt de deur van de keuken open. 'Echt waar?'
Niels staat met zijn rug naar haar toe in de hal. Zijn handen diep in zijn zakken gestoken. 'Ja. Echt.'
'Dit wil ze niet, hoor.'
'Zij heeft het uitgemaakt. Ik niet.'
'Ze is gek op je.'
'Dat heb ik gemerkt. Alsof het mijn schuld is.' Niels tilt zijn hoofd op en kijkt met een verdrietige blik in zijn ogen naar zijn zus. 'Ik kan er niets aan doen!'
'Dat weet zij ook.'
'Ze had gisteren gezegd dat ze op school geen contact met me wilde. Ik heb haar niet gezien en weet niet waar ze uithangt. Ik bemoei me nooit met die meisjes uit mijn klas. Kleinzielige roddeltantes.'
'Daarom namen ze wraak! Omdat jij je niet met hen bemoeit. Ze zijn stinkend jaloers op Femke.'
'Zou het daarom zijn?' Niels draait zich met een zucht om.

Hij loopt terug naar de keuken en gaat aan tafel zitten. 'Ik weet niet wat ik moet doen.'

'Is het goed dat ik met Femke praat?'

Niels schudt zacht zijn hoofd heen en weer. 'Ze luistert niet. Ze vond dat die meisjes gelijk hadden. Ik kon wel een betere vriendin krijgen. Een brugklassertje stelde inderdaad niets voor. En dan vond ze ook nog dat ze een vreselijke dramajurk aan had. Ik vond dat ze er prachtig uit zag!'

'Wie zijn die meisjes?'

'Je kent ze niet.'

'Zullen we ze opzoeken?' Liza steekt een gebalde vuist omhoog.

'En dan?' Hij lacht spottend. 'Dan is er volgende keer een ander meisje dat me leuk vindt en wordt ze weer onzeker.'

Niels heeft gelijk.

'Je moet voor je geliefde vechten,' vindt Liza. 'Laat haar zien en voelen hoe waardevol ze is.'

'Dat ze zich zo snel in een hoek laten zetten,' mompelt Niels, 'dat begrijp ik niet.'

'Ze gelooft niet dat ze veel voor je betekent.'

'Ik ben smoorverliefd op haar.'

'Dat moet je heel vaak laten merken. Dat is het enige wat je kunt doen.'

Niels haalt diep adem en staart wanhopig door het raam naar de grijze winterlucht. 'Zou het gaan sneeuwen?'

'Boeien! Daar hebben we het toch niet over?! Komt ze vanmiddag?'

'Om kwart voor één zou ze voor de villa staan.'

'Verzin iets.'

'Wat? Ze is er helemaal klaar mee! Ze heeft hier geen zin in. Femke gelooft niet dat ik alleen haar leuk vind en geen andere meisjes.'

'Het is half één.'

'Ik moet even iets ophalen.' Liza beklimt de trap met twee treden tegelijk. Anderhalve halve minuut later komt ze met een schrijfblok, pen, envelop en een rood lint naar beneden.

'Dat is voor jou.'

'Wat moet ik hier mee?'

Liza grist een plastic tas uit de kast, stopt daar de spullen in en geeft het aan Niels. 'Doe snel warme kleren aan en fiets naar het clubhuis.'

Niels weet niet wat voor plan Liza bedacht heeft, maar vindt het fijn dat zijn zus hem probeert te helpen. Hij trekt hij een dikke trui over zijn hoofd en doet zijn jas aan.

Ondertussen vertelt Liza wat hij moet doen.

'Hier heb je de sleutel. Opschieten!'

Niels twijfelt. Aan de ene kant is het een beetje kinderachtig. Zou Liza's plannetje om Femke op andere gedachten brengen helpen?

Hij hoopt van wel. Het is alles of niets.

Niels neemt de spullen mee en verdwijnt zo snel als mogelijk het bos in.

Liza kleedt zich om. Ze doet een legging onder haar broek aan en trekt de warmste trui aan die ze kan vinden.

Femke komt precies op de afgesproken tijd. Ze blijft voor de villa staan.

'Waarom kom je niet gewoon naar binnen?' vraagt Liza wanneer ze naar Femke toe loopt. 'Dat doe je anders ook.'

'We moeten toch opschieten?' Haar ogen gaan zoekend in het rond. 'Waar is Niels? Gaat hij niet mee?'

'Hij komt iets later.'

'Vreemd.'

'Hij deed ook vreemd,' vertelt Liza.

Femke perst haar lippen op elkaar. 'Ik heb het uitgemaakt.'

'Jij?! Ga weg!' Liza kijkt haar met gespeelde verbazing aan. 'Waarom?'

Hortend en stotend vertelt Femke wat er gebeurd is. 'Die meisjes moeten mij steeds hebben. Ze hadden een dag eerder ook al flauwe opmerkingen over me gemaakt. Ik denk dat het toch niets wordt tussen ons. Niels is een paar jaar ouder.'

'Doe niet zo belachelijk, hij is helemaal weg van je.'

Femke laat merken dat ze er niet over wil praten. Zwijgend vervolgen ze hun tocht door het bos.

In de buurt van het clubhuis roept Liza geschrokken dat Binky ontsnapt is. 'Daarginds loopt hij!'

Femke bedenkt zich geen seconde en gooit haar fiets aan de kant. Ze holt door de struiken in Binky's richting.

Liza blijft grinnikend achter en klimt op een omgevallen boom om te kunnen kijken.

Femke is nu vlakbij de pony en loopt zachtjes naar hem toe. Opeens staat ze stil.

'Iemand heeft Binky aan een boom vastgebonden!' roept ze. 'Er hangt een envelop om zijn hals met mijn naam er op!'

'Maak open!' Langzaam loopt Liza haar kant op.

Femke kijkt om zich heen wanneer ze de brief uit de envelop haalt.

Lieve Femke.
Trek je niets aan van die achterlijke meiden.
Ik vind je heel lief en bijzonder.
Geef 'ons' alsjeblieft een kans.
Daar gaat het om; jij en ik.
Mag ik je prins op het witte paard weer zijn?
Nou ja, in dit geval wordt het de prins op de bruine pony.
Ik wil alleen maar jou!!!! Duizend kussen van mij,
Niels.

Femke kijkt naar Niels die plotseling achter de struiken van-daan komt en naast Binky gaat staan.

'En?' vraagt hij.

'Ok,' knikt Femke met een stralend gezicht.

'Echt?'

'Écht!'

Niels klimt op Binky's rug. Hij opent zijn armen en wacht totdat Femke naar hem toe komt.

'Ogen dicht, Liza!' waarschuwt Niels. 'We gaan zoenen!'

Voor deze ene keer dan!' giechelt Liza.

HOOFDSTUK EENENTWINTIG

Speciale werkkleding

'Wist jij dat Niels dit zou doen?' Femke kijkt vragend in Liza's richting.

'Natuurlijk,' grinnikt Liza. 'Hij zat helemaal in de put, die arme jongen.'

Niels gaat naast Femke staan. 'Ze heeft beloofd om het niet weer te doen,' zegt hij.

'Je deed precies wat die twee meisjes graag wilden.' Liza schudt afkeurend het hoofd. 'Uitmaken met Niels. Sukkel!'

'Weet jij hoe het voelt als je zo onzeker bent en er allemaal kapers op de kust zijn?'

'Niet echt,' geeft Liza toe. 'Ik ben nooit verliefd geweest.'

'Ik voelde me gewoon overdonderd.'

Niels trekt Femke dicht tegen zich aan.

'Wat heb ik toch een lieve broer.'

'Kom je daar nu pas achter?' vraagt Niels met gespeelde verontwaardiging.

Femke glimlacht. Ze is blij dat het allemaal weer goed gekomen is. Ze wilde Niels niet kwijt, maar uit wanhoop besloot ze er een punt achter te zetten.

Niels heeft haar vanmiddag veel lieve woorden in het oor

gefluisterd. Ze weet dat hij om haar geeft en er alles aan zal doen om haar een goed gevoel te geven. Zij zal de horde meisjes moeten leren negeren en meer vertrouwen hebben in Niels.

Met Binky tussen zich in, lopen ze door de wei naar het clubhuis.

Liza en Femke vullen twee vuilniszakken met kuilgras en doen biks in een afsluitbaar bakje. Als extraatje voor onderweg.

Binky is het niet gewend om urenlang te moeten werken. Er is een kans dat Binky opeens stopt omdat hij geen zin meer heeft. Dan is het handig om hem met iets lekkers weer in beweging te krijgen.

'Hij is romantisch,' fluistert Femke.

'Niels?'

'Wie anders?'

Liza giechelt. 'Ja, wie anders?'

'Hij weet dat ik om Binky geef. Daarom kreeg Binky die envelop om zijn hals. En toen kwam de prins op de bruine pony. Superromantisch! Echt lief.'

'Die lieve romantische broer van me, heeft natuurlijk een allerliefst zusje vol leuke ideetjes.'

'Heb jij het allemaal bedacht?'

'Ja.'

Femkes mond zakt open. 'Dat had je niet moeten zeggen.'

'Ik vind het niet eerlijk dat hij met de eer strijkt, terwijl ik alles bedacht heb! Niels was wanhopig. Hij wilde je niet kwijt. Ik bedacht iets en dat vond hij meteen een goed plan. Is hij nu minder lief? Hij heeft de brief zelf geschreven.'

Femke geeft haar lachend een duw.

Kees Middeldam stelde gisteren voor om Binky met een trailer naar de kwekerij te brengen omdat de wagen daar staat.

101

Daan keurde het plan af, omdat er dan uiteindelijk toch een auto zou rijden voor het vervoer van zijn kerstbomen. Het gaat hem er juist om dat het milieu niet onnodig belast wordt.

Binky en de kinderen moeten een route van minstens drie kilometer afleggen, naar de andere kant van Burchtwaarde. En dat terwijl het bosperceel waar ze de kerstbomen vandaan moeten halen niet ver van het clubhuis ligt.

'Dat kost extra tijd,' zei Niels.

'Dat vind ik een foute instelling.' Daan schudde afkeurend zijn hoofd en bleef Niels strak aankijken.

'Hoe bedoelt u? Het is toch zo?'

'Bijna iedereen denkt op die manier. Alles kost tijd, alles moet sneller. Dus moet de auto weer gestart worden. Mensen zouden anders moeten denken. Als we in een wereld willen leven die beter in balans is, moeten we eerst zelf veranderen.'

Niels knikte en keek vluchtig opzij naar de vader.

'Daan heeft gelijk,' zei hij.

'Als wij om twee uur bij de kwekerij van Daan Middelman willen zijn, moeten we opschieten!' roept Niels.

Stuivenvolt, die het heel leuk vindt dat ze met Binky kerstbomen uit het bos gaan halen, komt nog even naar hun toe om succes te wensen. Hij aait Binky over de hals.

Liza vraagt tussen neus en lippen door of er al een mail naar Anne-Linde is gestuurd.

'Jazeker,' antwoordt Stuivenvolt. 'Maar ze heeft niet gereageerd.'

'Dat kan nog,' prevelt Femke.

In de verte klinkt plotseling het geluid van een motor. Een paar seconden. Dan stopt het abrupt.

Stuivenvolt kijkt peinzend over zijn schouder.

'Gister hoorde ik datzelfde geluid,' zegt Femke.

'Het lijkt op een motorzaag. Maar voor zover ik weet is er niemand in het bos aan het werk. Het geluid komt daar vandaan.'

Ze luisteren, maar het blijft stil.

'Hou Binky in de gaten,' waarschuwt Stuivenvolt. 'Je kunt hem niet voor honderd procent vertrouwen in het verkeer. Het blijft een vluchtdier. Goed uitkijken, dus.'

'Ik blijf er naast fietsen,' verzekert Femke hem.

Stuivenvolt heeft twijfels over Binky's nieuwe taak. 'Ik ben bang dat hij het niet leuk vindt om een zware wagen te trekken. Ik zal duimen.'

Lachend nemen ze afscheid van Stuivenvolt.

'Als er iets misgaat, dan moeten jullie mij bellen. Dan haal ik jullie met de tractor uit het bos, of dat nu wel of niet mag van Daan Middeldam!'

Binky is onrustig. Hij voelt dat er iets gaat gebeuren.

Liza zit daardoor niet ontspannen op zijn rug.

Femke houdt de pony bij het hoofdstel vast. Niels fietst aan de andere kant van Binky mee.

Na een minuut of tien wordt Binky rustiger en lijkt meer van het uitstapje te genieten.

'Arme Binky,' mompelt Liza vol medelijden. 'Hij weet nog niet wat hem te wachten staat.'

Het eerste deel van de tocht gaat door het bos. Daarna komen ze in een buitenwijk van Burchtwaarde. Er is weinig verkeer. Alles gaat goed.

Als ze het op erf van de kwekerij zijn, staat Daan hen met zijn vader op te wachten.

'Prachtdier!' roept Daan enthousiast als hij Binky ziet. 'Je kunt zien dat deze pony lekker in zijn vel zit. Hij boft met jullie.'

Liza en Femke glunderen.

'Het voelt geweldig om samen met het paard een team te worden,' zegt Daan. 'Bels en ik voelen elkaar haarfijn aan.'
Liza knikt enthousiast. 'Er bestaat niets mooiers.'
Femke kucht overdreven.
'Niet dan?' Liza kijkt haar met een scheef oog aan.
'Er is nog iets anders.'
'Ach! Hoe kon ik dat nou vergeten.' Liza schudt beschaamd haar hoofd. 'Samen een verliefd team met Niels vormen, dat is het allermooiste.'
'Dat bedoel ik.'
'Binky staat op de tweede plaats?"
'Geen commentaar,' grijnst Femke.
Kees Middeldam zet drie vuilniszakken op de wagen waaraan twee grote platen bevestigd zijn met de naam van het bedrijf. Hij lacht geheimzinnig. 'Daarin zit speciale werkkleding.'
Liza kijkt in de zak en staart verbaasd naar het rode kostuum. 'Moeten wij dat aan?"
'Ik zou dat op prijs stellen. Het is een ludieke manier om reclame te maken,' glimlacht Daan. 'Ik hoop dat het past. Mijn vader heeft het vanochtend opgehaald.'
'Wat zit er in?' vraagt Femke en buigt zich nieuwsgierig over een andere zak. 'Een kerstman pak?' Ze kijkt van de één naar de ander. 'Voor ons alle drie?'
'Ja,' antwoordt Daan. 'Met pruik en baard.'
'Dat wordt lachen!' giert Liza

HOOFDSTUK TWEEËNTWINTIG

Werkpaard

Binky wordt aangespannen. Dat is niet makkelijk. Daan staat tegen het hek geleund en geeft aanwijzingen. Hij zou alles het liefst voor willen doen, maar dat kan niet vanwege zijn rug.
Binky laat merken dat hij het niet leuk vindt.
'Geef hem maar iets meer tijd om aan alles te wennen. Hij is een beetje van slag. Als Binky gewend is aan het tuig, wil hij wel voor de wagen,' beweert Daan, die alle vertrouwen in de bruine IJslander heeft.
Liza slaat haar arm om Binky's hals. 'Vandaag word je voor het eerst in je ponyleven een echt werkpaard.'
'Niet zomaar een werkpaard! Hij wordt het werkpaard van de kerstman!' voegt Daan er aan toe.
'Zien jullie het zitten?' vraagt Kees Middeldam wanneer hij alles gecontroleerd heeft.
Liza en Femke wisselen een snelle blik met elkaar. Beiden vinden het spannend. Ze weten niet hoe Binky zal reageren.
Femke zwijgt.
Liza ook.
Niels neemt de meisjes fronsend op. 'Denk maar niet dat ik

de wagen trek.'

De woorden komen zo grappig uit zijn mond, dat iedereen in lachen uitbarst.

Liza kijkt naar het bit in Binky's mond. Het moet vreselijk zijn om een ijzeren staaf in je mond te hebben dat naar alle kanten wordt getrokken doormiddel van de teugels. Liza probeert de pony op een andere manier aan te sturen door bijvoorbeeld 'links' of 'rechts' te roepen. Binky begrijpt haar wel, maar heeft niet altijd zin om haar orders op te volgen. Liever speelt ze niet de baas over de pony, maar soms moet dat wel. Anders gaat Binky zijn eigen gang.

'Laat Binky maar ontdekken hoe het is om de wagen te trekken. Rij maar rondjes over het erf. Ik zeg wel wat je moet doen. '

Liza maakt een uitnodigend gebaar naar de wagen. 'Jij?'

'Ga jij maar,' mompelt Femke.

'Hij luistert beter naar jou.'

'Niet waar.'

'Zal ik dan maar?' Niels gaat tussen de meisjes in staan.

'Kom op, zeg! Aanstellers.'

De meisjes klimmen beiden op de wagen.

Binky spert zijn neusgaten wijd open en wil meteen voorwaarts.

'Wacht maar even,' zeg Daan.

Even later rijdt Binky een rondje over het erf. Liza houdt de teugels vast. Femke zit gespannen naast haar.

'Vertrouw op jezelf!' roept Daan. 'En straal dat vertrouwen naar Binky uit. Jullie zijn nerveus en dat slaat over op Binky.'

Dat weten de meisjes zelf ook wel. Deze situatie is nieuw. Niet alleen voor Binky, ook voor de meisjes.

'Ik denk steeds aan wat er mis zou kunnen gaan…,' zucht Femke.

'Denk aan de band die jullie met de pony hebben,' zegt Daan. 'Jullie kennen Binky en vertrouwen hem. Hij doet zijn best. Als jullie hem het gevoel geven dat alles goed is, wordt hij vanzelf rustiger. Er kan niets misgaan.'

Daan heeft gelijk en dat weten de meisjes ook.

Na een half uur stoppen ze met oefenen.

'Dit gaat geweldig!' Daan kijkt trots naar de meisjes. 'Hoe onwennig het ook is, jullie hebben Binky laten voelen dat hij jullie kan vertrouwen. Dat het allemaal goed is. Omdat hij zich veilig voelt, kun je zien dat hij zich ontspant. Hij doet als hij in zijn leven nooit iets anders heeft gegaan dan wagens trekken.'

Voordat ze vertrekken, gaan ze eerst naar binnen om iets warms te drinken.

Binky krijgt een bak water en biks voor zijn neus.

Als iedereen opgewarmd is, vertrekken ze.

Gelukkig heeft Daan kort geleden met een paar mensen de kerstbomen met kluit uit de grond gehaald. Dat scheelt een heleboel werk.

Klokslag drie uur rijden ze het erf af. Liza, Femke en Kees zitten op de wagen. Niels fietst naast Binky mee.

'Gaaf!' lacht Liza wanneer ze zonder problemen door de buitenwijk bij het bos aankomen.

Middeldam geeft aanwijzingen hoe ze verder moeten rijden. Hij weet waar het perceel ligt.

Ze komen in een deel van het bos waar ze nooit eerder zijn geweest.

'Daar is het!' wijst meneer Middeldam.

Liza stuurt de pony er heel gemakkelijk naar toe. 'Je bent superbink!' roept ze dankbaar.

'Dat hij het zo goed doet, heeft ook met jullie te maken,' zegt meneer Middeldam terwijl hij zich voorzichtig van de wagen laat glijden. 'In het begin vond ik jullie behoorlijk gestrest.'

'Hoe komt u daar toch bij?' grapt Niels. 'Het is mij niet opgevallen.'

'Broertje, als er sneeuw komt, krijg jij een sneeuwbal in je nek!' dreigt Liza.

'Dat doe je toch niet,' beweert Niels. 'Je vindt mij de liefste broer van de hele wereld.'

'Dat is waar,' beaamt Liza.

'Eerst de wagen draaien,' adviseert meneer Middeldam. 'Dan kunnen we na het opladen makkelijker weg.'

Binky laat een tevreden geluid horen.

'Hij vindt het leuk om werkpaard te zijn,' grinnikt Liza.

Niels loopt via een smal pad naar de kerstbomen die naast elkaar op de grond liggen. 'Dat zijn er veel meer dan tien.'

'Klopt. Totaal zijn het er ongeveer honderdvijftig,' deelt Middeldam mee.

Liza wil weten of ze Binky vast moet zetten.

'Waarom?' vraagt meneer Middeldam. 'Bang dat hij er vandoor gaat?'

Liza haalt haar schouders op.

'Geef hem dat vertrouwen maar,' glimlacht hij. 'Dat zou Daan ook tegen jullie zeggen.'

Binky krijgt een wortel, omdat hij goed zijn best heeft gedaan. Volgens Niels verwennen de meisjes Binky teveel. 'Jullie geven hem steeds iets extra's. Dat moet je niet doen.'

'Jij hebt geen verstand van pony's,' verwijt Femke hem.

'Wedden?'

Femke schudt lachend het hoofd.

Iedereen trekt de handschoenen aan. Achter elkaar worden de kerstbomen naar de wagen gesleept. Het is zwaar werk. Vooral als je het nooit eerder hebt gedaan.

Binky blijft rustig op het pad staan.

Van de snijdende kou merkt niemand meer iets. Ze zijn warm van het sjouwen.

Niels krijgt een goed idee. 'We maken Binky los van de wagen, knopen grote kerstbomen aan een touw en laten die Binky naar de wagen slepen. Veel handiger.'

Eerst overleggen ze hoe dat het beste kunnen doen. Dan wordt het plan met succes uitgevoerd.

Als er meer dan veertig kerstbomen op de wagen liggen, besluiten ze met de lading naar Burchtwaarde terug te gaan. 'Morgen doen we de rest,' beslist Middeldam. 'Het wordt te donker om nog een ritje naar het bos te doen. Ik stel voor dat we op de terugweg de eerste bomen bij mensen thuis bezorgen. Ik heb een lijst.'

'Dan moeten we ons dus omkleden!' grijnst Niels. Hij gooit een zak met een kerstmankostuum naar Femke en Liza.

'Waar zijn we aan begonnen?' klaagt Femke.

'Niet zeuren,' roept Niels. 'Denk aan Binky. Die moet in zijn eentje de zwaar beladen wagen trekken.'

'Dan had hij maar geen werkpaard moeten worden.'

HOOFDSTUK DRIEËNTWINTIG

Ho, ho!

Binky houdt iedereen angstvallig in de gaten. Hij vindt de kerstmanpakken vreemd.

'Ik ben het,' grinnikt Liza.

Als Niels, Femke en meneer Middelman zich als kerstman bij Liza voegen, gieren ze het uit.

Daar staan ze, in prachtige rode pakken. Onherkenbaar door de witte baarden en pruiken.

'Wie bedenkt zoiets?' mompelt Niels.

'Mijn zoon!' grijnst Middeldam. 'Om extra aandacht voor zijn bedrijf te krijgen.'

'Dat lukt wel,' knikt Niels. 'We zien er onweerstaanbaar uit.'

Femke gaat op de wagen zitten en wacht totdat de anderen een plaats tussen de kerstbomen hebben gevonden.

De sparren ruiken heerlijk.

'Karren maar!' roept Liza.

Femke trekt zacht aan de teugels.

'Wacht even.' Kees Middeldam springt van de wagen.

'Iets vergeten?' vraagt Femke.

Middelman schudt bedachtzaam zijn hoofd. Zijn ogen glijden onderzoekend over het grote bosperceel dat door zijn zoon wordt gepacht.

Niels fietst om de wagen naar hem toe.

Meneer Middelman wijs naar de achterkant van het perceel. 'Volgens mij horen daar nog een paar rijen kerstbomen te staan.'

'Die staan er toch?'

'Ik twijfel. Het zijn geen volle rijen.'

'Kijken?'

Meneer Middelman tikt op het glas van zijn horloge. 'Laten we maar gaan. Het wordt vroeg donker. Ik zal het straks aan Daan vragen. Ik ben er vrijwel zeker van dat de achterste bomenrijen tot volgend jaar zouden blijven staan.'

Niels loopt een paar meter bij hem vandaan. 'Het is moeilijk te zien,' zegt hij. 'Maar het lijkt wel alsof er bomen tussen weggehaald zijn.'

'Zie je wel...'

Ze lopen terug naar de wagen.

'Rijden maar!' Meneer Middelman maakt een gebaar in de richting van Burchtwaarde. Hij pakt de rand van de wagen vast om er op te klimmen. Omdat Binky voorwaarts gaat, heeft hij geen tijd genoeg om zijn been er op te zwaaien. 'Hallo!' roept hij verontwaardigd. 'Moet ik het hele end lopen?'

Verbaasd kijkt het drietal achterom en ziet meneer Middelman op het pad staan.

'U gaf zelf het commando 'rijden maar'!' lacht Femke.

'Binky is sneller dan verwacht!'

Meneer Middelman gaat zitten en steekt zijn duim op.

'Ik vind het best sneu,' mompelt Liza. 'Binky is dit niet gewend. Moet je kijken hoeveel bomen er op de wagen liggen. En dan wij er ook nog eens bij.'

'Volgens mij vindt Binky het leuk.'

Niels fietst vooruit om een paar foto's van Binky en de kerst-mannen te maken.

De meisjes maken grappen over de fietsende kerstman. Hij moet natuurlijk ook op de foto.

Wanneer ze de buitenwijk van Burchtwaarde naderen, haalt Middelman een lijst uit zijn jaszak tevoorschijn. 'Hier woont iemand die een kerstboom heeft besteld!' roept hij. 'Bij het kruispunt rechtsaf.'

In de ruimtelijk opgezette wijk, is nauwelijks verkeer. Liza en Femke verbazen zich nog steeds over Binky's inzet. Eigenlijk hadden ze verwacht dat hij met geen mogelijkheid vooruit zou zijn te branden. Het tegendeel blijkt waar.

Liza richt haar aandacht op een slingerende fietser die twee-honderd meter voor hen uit fietst.

'Wat heeft hij op zijn bagagedrager liggen?' vraagt Liza zich af.

Femke haalt haar schouders op. 'Een kerstboom?'

'Daar lijkt het op.' Liza kijkt over haar schouder. Ze heeft nergens een bordje gezien van 'kerstbomen te koop'.

Als ze dichterbij komen, blijkt het inderdaad om een kerst-boom te gaan.

'Vragen of we de kerstboom voor hem mee moeten nemen?'

'Best,' knikt Femke. 'Een boom meer of minder maakt voor Binky niets uit.'

De fietser kijkt over zijn schouders. Als hij hen ziet, wendt hij geschrokken zijn hoofd af.

'Meneer!' roept Liza. 'Wij gaan naar Burchtwaarde. Moeten we uw boom meenemen?'

Hij schudt zijn hoofd. 'Niet nodig. Ik ben bijna thuis.'

'Dan niet,' mompelt Liza ietwat teleurgesteld.

De fietser lijkt opeens haast te hebben en verdwijnt bij het kruispunt uit het zicht.

'Hoe kwam hij aan die kerstboom?' vraagt Middelman.

'Vroeg ik me ook af,' antwoordt Niels. 'Stiekem uit het bos meegenomen?'

'Dat vermoeden heb ik wel.'

Liza vangt iets van het gesprek op. 'Die kerstboom is niet gejat!'

'Hoe weet je dat?'

'Er zat een prijskaartje aan de boom.'

'Zeker weten?"

Liza knikt bevestigend. 'Ik kon de prijs niet zien, maar het kaartje zat met een touwtje aan de stam vastgeknoopt.'

'Er zullen wel eens mensen zijn die kerstbomen uit het bos halen,' denkt Niels.

'Veel goedkoper,' grinnikt Femke. 'Maar het is diefstal.'

Binky stapt stevig door.

Liza en Femke hebben binnenpret omdat ze verkleedt als kerstmannen met Binky rondrijden. Dat hadden ze een dag eerder niet kunnen bedenken.

'Wij naderen de bewoonde wereld!' kondigt Liza vrolijk aan. 'Zit mijn baard goed?'

'Een beetje scheef,' lacht Femke en trekt haar baard recht.

Meneer Middelman ziet er als een echte kerstman uit. Hij rinkelt luid met zijn bel.

Mensen komen naar buiten om te kijken.

Meneer Middelman begint zijn rol steeds leuker te vinden. 'Ho, ho! Ho, ho!' roept hij boven het belgerinkel uit.

Niels vraagt naar het huisnummer van de klant.

De grote kerstman werpt een blik op zijn papier. 'Negentien!'

'Dat is hier al.' Abrupt stuurt Femke Binky naar links.

Meneer Middelman verliest zijn evenwicht en grijpt zich vast aan de rand. Op dat moment zwiept een laaghangende tak langs zijn baard. Voordat hij iets kan doen, bungelt zijn baard met pruik en rode muts in de boom.

'Ho, ho! Ho, ho!' roept hij paniekerig.

Liza en Femke kijken tegelijk achterom en zien wat er gebeurd is.

'Binky, stoppen!'

Slap van het lachen, laten de meisjes zich achterover tegen de kerstbomen vallen.

Niels probeert zijn lachen in te houden, maar dat lukt niet met die gierende meisjes op de wagen.

'Heeft u hulp nodig?' hikt Liza als ze ziet dat meneer Middelman zijn pruik achterstevoren op zet.

'Waarschijnlijk wel!' Met een brede grijns komt hij naar hen toe.

HOOFDSTUK VIERENTWINTIG

Feest, en bijna vakantie!

De vier kerstmannen trekken veel aandacht in Burchtwaarde. Overal waar ze stoppen om een kerstboom af te leveren, komen mensen naar buiten om te kijken. Niet alleen kinderen, ook volwassenen. De pony vinden ze erg leuk! 'Nooit eerder heeft Binky zo'n zware klus gehad en, hij doet alles zoals hij dat zou moeten doen. Nooit eerder was hij zo braaf als nu.' Femke trekt een ernstig gezicht. 'Wij hebben Binky in het verleden onderschat!'

'Ik had niet anders verwacht,' antwoordt Liza met opgetrokken neus. 'Hij heeft een keurige opvoeding gehad.'

De lantaarns in de straten van Burchtwaarde branden.

Buiten is het donker geworden.

Volgens Niels vriest het. Hij merkt het aan zijn handen.

Kees Middelman heeft twee ouderwetse kaarslantaarns aan de achterzijde van de kar opgehangen. Het staat leuk, maar officieel mag je op die manier niet deelnemen aan het verkeer.

'We moeten nog drie kerstbomen bezorgen. Daarna gaan we naar de kwekerij. We zijn uren onderweg geweest. Het is koud en ik heb wel zin in een warme maaltijd. Mijn vrouw zou bij Daan thuis een grote stapel pannenkoeken voor ons allemaal bakken.'

Het is over zessen als Binky de wagen naast de loods van de kwekerij parkeert.

Daan komt meteen naar buiten.

Liza springt van de wagen af om Binky te knuffelen. Ze is trots op hem en fluistert dat wel tig keer in zijn oor.

Binky wordt uitgespannen en aan het hek vastgezet. Femke schudt de grote zak met kuilgras voor hem leeg. Dat heeft hij zeker verdiend.

Ze gaan met Daan mee naar binnen.

Hij stelt hen voor aan zijn moeder, mevrouw Middeldam, die in de keuken achter het fornuis staat. Ze draagt een blauw schort en heeft rode wangen.

'Ga zitten!' nodigt Daan uit.

Na het maken van een paar foto's, trekken ze de kerstman-pakken uit.

'Het ging geweldig,' vertelt Kees aan zijn zoon. 'We vielen op.'

'Dat heb ik gemerkt,' zegt Daan. 'Ik heb er zestien klanten bij. Mensen die jullie zagen tijdens het bezorgen van de kerst-bomen! Vorige week stond er een artikel over mijn bedrijf in de krant. Ze zagen het telefoonnummer op de wagen en heb-ben mij gebeld. Te gek! Het werkt goed om op deze manier reclame te maken. Ik ben blij dat jullie mij willen helpen.'

'Zijn jullie moe?' vraagt mevrouw Middelman wanneer ze met een grote schaal vol pannenkoeken aan komt lopen.

'Best wel,' knikt Femke.

Niels denkt dat hij morgen niet uit bed kan komen, vanwege spierpijn.

'Daar heb ik nu al last van,' knipoogt Kees.

Liza vertelt dat ze onderweg veel gelachen hebben. 'Hij kon een laaghangende tak niet ontwijken en opeens hing zijn

muts met pruik en baard aan een tak in de boom.'
Iedereen lacht.
'Morgen kan ik weer op jullie rekenen?' vraagt Daan voor de zekerheid.
Natuurlijk komen ze weer!
De pannenkoeken smaken heerlijk.
Tijdens de maaltijd brengt Liza de komst van Anne-Linde ter sprake. In het kort legt ze de situatie uit.
'Heel bijzonder,' vindt Daan. 'Binky speelt dus de hoofdrol.'
'Zeker weten,' beaamt Liza en vertelt over de plannen om het clubhuis te versieren.
'Dat gaan we morgenavond doen,' vertelt Femke.
'Zondagmiddag rijden we naar Hoek van Holland om haar op te halen. Ze komt om half vijf met de veerboot aan.'
'Haar vader weet van niets?' vraagt Kees.
'Nee.'
'Heet hij toevallig Reitze Stuivenvolt?'
Liza knikt aarzelend. Liever had ze de naam van Stuivenvolt niet bekend willen maken. Het hoort niet om allerlei persoonlijke zaken van een ander door te vertellen.
'Ik ken hem,' mompelt Kees Middeldam. 'Ik weet wat er jaren geleden gebeurd is. Zijn vrouw leerde een rijke buitenlander kennen en opeens stelde het leven op de boerderij aan de bosrand niets meer voor. Ze liet Reitze zomaar in de steek. Heel respectloos! Van een vrolijke, keurige man, veranderde hij in een eenzame man die de buitenwereld schuwde. Hij werd mager en zag er onverzorgd uit. Triest.'
'Mensen denken wel eens dat hij onbetrouwbaar is.'
Kees glimlacht. 'Het is een man met een hart van goud.'
'Hij vergeet zich vaak te scheren en zijn haar te kammen,' vertelt Femke lacherig. 'Daardoor ziet hij er een beetje onguur uit.'

'Ik herinner me hoe blij hij was toen hij vader werd. De jaren zonder zijn dochter moeten een hel voor hem zijn geweest. Hij was dol op haar. Waar je hem zag, zag je dat kleine meisje ook. Samen in de stad, samen op de fiets, samen op de tractor. Toen was ze nog een kleuter.'

'Anne-Linde is nu dertien. Ze hadden haar verteld dat hij niet meer leefde.'

'Verschrikkelijk.' Kees schudt afkeurend zijn hoofd. 'Logisch dat jullie er een feest van gaan maken.'

Femke vertelt dat de moeder van Anne-Linde er nog steeds moeite mee heeft. 'Ze wil niet dat ze haar vader ontmoet. Maar Anne-Linde laat zich nu niet meer tegenhouden.'

Daan heeft een heleboel fakkels in de schuur liggen. 'Die kunnen uren branden! Als jullie die buiten bij het clubhuis willen neerzetten, mag dat. Ik geloof dat het er een stuk of tien zijn.'

'Dat maakt het heel sprookjesachtig,' reageert Liza enthousiast.

'Op zolder liggen vlaggetjes. Zeker dertig meter lang,' herinnert Daans moeder zich. 'Jullie mogen dat allemaal gebruiken.'

'Dan hebben we alles om het clubhuis te versieren!' roept Liza vrolijk.

'Ik zal het straks opzoeken,' belooft mevrouw Middelman.

Het is zeven uur als ze besluiten naar huis terug te gaan.

'Wat vinden jullie er van om Binky naar een beschut plekje achter de loods te brengen?' stelt Kees voor. 'Dan rijd ik daarna met jullie naar het clubhuis. We kunnen de fakkels en slingers meenemen.'

'Binky hier achterlaten?' Liza kijkt onzeker naar Femke.

'Ze zorgen goed voor hem,' zegt Femke. 'En wij hebben de spullen voor ons feestje in het clubhuis. Ik vind het oké.'

'Als mijn fiets hier ook een nachtje mag blijven logeren, rij ik graag mee,' lacht Niels.

Liza vindt het raar om zonder Binky terug te gaan, maar ze denkt dat hij het niet erg vindt om hier een nachtje te blijven. Het vriest, maar als Binky beschutting heeft, moet dat kunnen. Morgenochtend zien ze hem weer.

Wanneer alles in de auto is geladen, ziet Niels een groot wit bord achter een paar pallets staan. Hij vraagt of ze dat mogen gebruiken om er met grote letters WELKOM op te schilderen.

Het bord mag mee.

Nadat ze afscheid hebben genomen van Binky, die zich prima op zijn gemak voelt, rijden ze naar het clubhuis.

'Nog één dag hard werken en dan hoeven we alleen maar na te denken over het feest dat we organiseren voor Anne-Linde en Stuivenvolt.'

'Feest en bijna vakantie!' lacht Liza.

HOOFDSTUK VIJFENTWINTIG

Laatste bericht

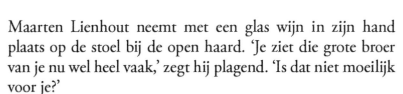

Maarten Lienhout neemt met een glas wijn in zijn hand plaats op de stoel bij de open haard. 'Je ziet die grote broer van je nu wel heel vaak,' zegt hij plagend. 'Is dat niet moeilijk voor je?'

'Valt mee,' antwoordt Liza.

'Straks valt het tegen,' grinnikt Elles.

Liza doet alsof ze de grapjes leuk vindt. Maar dat vindt ze niet. Hoe zal het zich allemaal in de toekomst gaan ontwikkelingen? Heeft Femke straks nog tijd voor haar en Binky? Liza weet bijna zeker dat ze steeds vaker met Niels zal afspreken. Ze willen elkaar zien, aanraken en kussen. Zo gaat dat met verliefde stelletjes!

Begh!

Diep in haar hart hoopt ze dat Niels zo verstandig zal zijn om Femke er op wijzen dat ze Binky en haar vriendin Liza niet mag vergeten.

'Moeten we maatregelen nemen?' vraagt Maarten aan zijn dochter. 'Moeten we proberen dat Femke en Niels elkaar minder vaak zien?'

'Doe maar! De Pony Friends moeten blijven bestaan!'

'Vanaf nu zullen we Femke niet meer uitnodigen voor het eten. Ze mag hier niet logeren en we vragen haar niet voor een vakantiebaan in het hotel. We zullen...'
Niels valt zijn vader verontwaardigd in de rede. 'Wat gemeen! Ik waarschuw jullie! En ga er maar van uit dat ik tegenmaatregelen zal nemen.'
'Zoals?'
'Dat ga ik jullie niet aan de neus hangen.' Niels staat op en loopt in de richting van de hal.
'Wat ga je doen?'
'Dat 'welkomstbord' beschilderen. Als ik dat nu doe, kan de verf vannacht drogen. Morgenavond hangen we het bij het clubhuis op.'
'Stuivenvolt moest eens weten wat er binnenkort gaat gebeuren,' glimlacht Elles.
'Hij zou een gat in de lucht springen,' denkt Liza. 'Anne-Linde is belangrijk voor hem.'
'Sonja weet van niets?'
'Nee.'
'Laatst vertelde ze mij dat hun trouwplannen alleen maar doorgaan als de dochter van Reitze erbij is.'
'De bruiloft gaat door!'
'Juich niet te hard,' zegt Niels vanuit de deuropening. 'Eerst zien, dan geloven. Er kan van alles gebeuren. Als de moeder van Anne-Linde op haar in blijft praten om niet naar het huwelijk te gaan, moet ik nog eens zien wat Anne-Linde doet. Voor haar blijft het een moeilijke situatie. Als ze al dat gedoe zat is, kan ze zomaar zeggen; ik kap er mee en ga niet naar Nederland. Dan heeft ze een probleem minder.'
'Dat zou voor Stuivenvolt heel erg zijn.'
'Bereid je maar voor dat de dingen anders kunnen gaan dan wij graag willen.'

Liza staat op en loopt met Niels mee om hem te helpen.
'Jas aan!' roept Elles hen na. 'Het is koud buiten.'
'Alsof wij dat niet weten,' grinnikt Liza.
Het vriest behoorlijk. Niels denkt dat er al snel op ondiepe slootjes geschaatst zal worden. Hij heeft wel zin in schaatsen.
'Volgens mij houdt Femke niet van schaatsen.'
Niels houdt wijselijk zijn mond.
Femke werd als eerste door Kees Middeldam thuisgebracht.
Niels had het leuker gevonden als ze met hen mee naar huis gegaan was.
Het grote bord dat ze van Daan hebben gekregen staat in de schuur.
Niels legt het op omgekeerde kistjes. Daarna pakt hij een meetlat en spuitbus van de plank.
'Zit daar verf in?'
Hij knikt en rekent uit hoeveel ruimte er voor elke afzonderlijke letter is. Liza helpt hem daarbij.
'We kunnen de letters verkleinen. Dan zou haar naam er onder kunnen staan,' stelt Liza voor.
Niels vindt het een goed idee.
Het spuiten van de letters op het hout valt tegen. Het is moeilijk om strakke lijnen te maken.
'Zo moet het maar.' Niels duwt na een half uur de dop op de spuitbus en zet die terug op de plank. 'Morgen hangen we het boven de staldeuren van Binky.'
'Eerst kerstbomen bezorgen!' grinnikt Liza en wrijft over haar handen, die ondanks de beschermende handschoenen die ze gedragen hebben, ruw aanvoelen.
Wanneer ze weer in huis zijn, genieten ze van de warmte.
Liza belt Stuivenvolt om te vertellen hoe de dag verlopen is en dat Binky bij Daan Middeldam logeert. 'Binky heeft zijn best gedaan.'

'Goed dat ik het weet,' grinnikt Stuivenvolt. 'Als mijn tractor het ooit begeeft, heb ik sterke Binky nog!'
'We vonden het zielig voor Binky dat hij zo'n zware kar met kerstbomen moest trekken.'
'Hij gaf geen kik?'
'Nee.'
'Weigerde hij wel eens?'
'Nooit.'
'Binky is een bikkel.'
'Vinden wij ook.'
'Als het gaat lukken dat mijn dochter in het voorjaar hier naar toe komt, moet ze uitgebreid kennismaken met Binky.'
'Dat gebeurt vast! Binky is onweerstaanbaar.'
'Ik heb net met Sonja gebeld. Er is nog steeds geen reactie van haar via de mail gekomen.'
'Wachten duurt lang,' zegt Liza luchtig. 'De bruiloft is pas in het voorjaar. Waarom zou ze dan nu al reageren? Ze neemt de tijd om na te denken.'
'Ik heb het gevoel dat ze wel komt.'
'Ik ook.'
'Ik droom er vaak over.'
Liza krijgt een brok in haar keel als ze de emotie in zijn stem hoort. 'Het gaat lukken,' mompelt ze.
Na het telefoongesprek pakt ze de laptop. Voordat ze naar bed gaat, wil ze haar mail nog even checken.
Zeven berichten. De mail van Anne-Linde valt meteen op.
Ze klikt het bericht aan.
Even is ze bang dat er een kink in de kabel gekomen is.

Hallo Liza en Femke.

Toch nog een berichtje om door te geven dat ik mijn spullen ingepakt heb.

Alles staat klaar.

Er is weer ruzie geweest. Mijn moeder begon opnieuw. Ze wilde dat ik thuis zou blijven. Dat was beter voor iedereen. Ze zou het mij nooit vergeven als ik wel ging. 'Dit zal altijd tussen ons in blijven staan.'

Ze schreeuwde.

Ik heb haar aangekeken en niets gezegd.

Ik voel me rot.

Er hangt een vreselijke spanning in huis. Die heb ik veroorzaakt.

Mijn stiefvader zegt weinig. Hij wil geen ruzie uitlokken.

Hij heeft mij verzekerd dat hij mij naar Harwich brengt.

Ik vind mijzelf dapper. Dat ik dit durf.

Leuk is anders.

Dit is mijn laatste e-mail bericht. Tot morgen.

Anne-Linde.

HOOFDSTUK ZESENTWINTIG

Nog één nachtje

Als Liza de volgende ochtend naast Kees Middelman in de auto plaatsneemt, geven Niels en Femke elkaar op de achterbank een zoen.

'Hou er toch eens mee op,' zucht ze.

'Dit is beter dan slaande ruzie,' lacht meneer Middelman.

'Zoiets doe je toch niet als anderen er bij zijn?'

'Elkaar kussen? Dat is toch geen probleem.'

'We hebben officieel toestemming om elkaar in de auto van meneer Middelman te kussen,' deelt Niels mee.

'Ik ben allergisch voor klef gedoe.'

'Is dat zo?' Middelman kijkt fronsend opzij naar Liza. 'Er zijn medicijnen voor te krijgen.'

In uitgelaten stemming arriveren ze bij de kwekerij.

Liza rent langs de loods om als eerste bij Binky te zijn. Ze omhelst hem met twee armen.

Niels maakt onverwachts een vreemd gorgelend geluid.

Meneer Middelman kijkt geschrokken opzij. 'Is er iets aan de hand?'

'Hier kan ik niet tegen.' Niels maakt een gebaar naar Liza. 'Dat kleffe gedoe.'

Femke schiet in de lach.

Liza steekt haar tong uit.

'Heb ik al verteld dat er medicijnen voor die allergie bestaan?' grijnst meneer Middelman.

Daan Middelman begroet iedereen. 'Toen jullie gisteravond weg waren, bedacht ik me opeens dat het voor Binky leuker zou zijn geweest om bij Bels op stal te staan. Er is ruimte genoeg voor twee paarden. Ik durfde het niet aan om de pony daar naar toe te brengen. Ik moet erg voorzichtig zijn met mijn rug.'

Kees Middelman stelt voor dat iedereen direct het kerstmanpak aandoet. Dan hoeft dat straks niet in het bos. Iedereen vindt dat een goed idee en kleedt zich binnen om. Daan schenkt thee in en bespreekt de twee bezorgroutes die hij op papier heeft gezet.

'Het kostte wat denkwerk, maar als jullie deze route volgen, hoeven jullie nauwelijks om te rijden.'

Iets over negenen vertrekken ze.

Daan zwaait hen uit. Hij wijst naar de grijze lucht. 'Als het te koud wordt, kom dan terug om hier op te warmen. De temperatuur schommelt om het vriespunt.'

Bij het wegrijden belooft meneer Middelman dat hij de achterste bomenrijen zal inspecteren.

'Graag. Drie rijen moeten nog een aantal jaren groeien. Ze zijn jonger dan de bomen die ik er nu uitgehaald heb.'

Liza en Femke zitten voor op de wagen en zien er weer prachtig uit in hun kerstmanpak. Onderweg krijgen ze weer veel bekijks.

Eenmaal in het bos merken ze hoe koud het is. Het lijkt wel alsof ze door een vrieskist rijden.

Binky lijkt nergens last van te hebben. Hij draaft met plezier over het brede bospad.

Liza en Femke kijken vol ontzag naar de sterke IJslander.
'Dit ziet er gaaf uit,' mompelt Liza. 'Binky met wapperende manen.'
'Heel stoer!' knikt Femke.
Wanneer ze op de plek zijn aangekomen, wordt Binky meteen uitgespannen. Dan kan hij de zware kerstbomen aan een touw naar de wagen trekken.
'Zo werkt het sneller,' vindt meneer Middelman.
Niels betwijfelt dat, omdat de bomen eerst goed vastgeknoopt moeten worden en vervolgens aan het tuig moeten worden bevestigd.
Samen werken ze goed door.
Als meneer Middeldam voor controle naar de achterste bomenrijen loopt, gaat Niels met hem mee.
Plotseling blijft Middeldam staan, terwijl zijn blik inspecterend langs de jonge sparren glijdt.
'En?' vraagt Niels terwijl hij zijn handen warm blaast.
Zoekend loopt hij tussen de bomenrij door. 'Dit heeft Daan niet gedaan!' Middeldam pakt zijn telefoon. 'Dit klopt niet! Er zijn her en der bomen omgezaagd. Waardeloos!'
Niels loopt achterlangs en hoort Middeldam met stemverheffing tegen zijn zoon praten. 'Er zijn bomen verdwenen! Omgezaagd!'
Het gesprek duurt niet lang.
'Hij baalt!' zucht Middeldam nadat het gesprek beëindigd is.
'Het duurt jaren voordat de bomen volgroeid zijn. En dan is er één of andere respectloze idioot die er een stel omzaagt en meeneemt. Pure diefstal. Jij kunt foto's maken?'
'Ja.' Niels pakt zijn telefoon.
'Daan wil aangifte doen.'
'Het zijn er toch niet zo heel veel?'
'Het is en blijft diefstal.'

127

'Zou de politie dit serieus nemen?'

'Mijn zoon verdient zijn inkomen met het kweken van bomen. Buiten dat! Het is ongehoord! Men moet van andermans spullen afblijven.'

Niels knikt. In de gauwigheid telt hij twintig bomen die zijn omgezaagd.

'Twintig te veel,' vindt Middelman.

Na het maken van gedetailleerde foto's sjouwen ze een paar grote kerstbomen naar de zijkant. Binky mag ze naar de wagen slepen.

Het laden duurt een uur.

Daarna gaat Middelman bij de meisjes op de wagen zitten om de route te wijzen. Niels fietst, net zoals gisteren, naast Binky.

Op straat is het druk. Veel mensen doen inkopen in het centrum.

Liza en Femke houden Binky goed in de gaten omdat ze bang zijn dat hij van onverwachtse geluiden of bewegingen schrikt. Maar Binky stapt onverstoorbaar verder. Hij weet nog precies hoe het moet. Niet zo lang geleden is hij meegelopen in de sinterklaasoptocht.

'Je bent geweldig, Binky!' complimenteert Liza.

Binky draait zijn oren heel eventjes naar achteren. Dan richt hij zijn aandacht weer op de weg.

Het bezorgen van de kerstbomen verloopt goed. Alle mensen die er één besteld hadden, zijn thuis.

Hoewel Kees Middeldam voortdurend aan de verdwenen kerstbomen denkt, blijft hij zijn rol als kerstman goed spelen.

Na de eerste bezorgronde eten ze bij Daan soep met broodjes. Aan tafel wordt er uitvoerig over de omgezaagde kerstbomen gepraat.

'Misschien is er iemand die een hekel aan u heeft,' merkt Liza

op. 'U wilt de bomen juist niet omzagen, maar behouden.'
'Zoiets kan ik niet begrijpen.' Daan klinkt terneergeslagen.
'De reacties onderweg zijn leuk. De mensen die een kerstboom huren vinden het een leuk idee,' vertelt Femke opbeurend.
'Het vervelende is, dat ik nooit zal weten wie mij die streek geleverd heeft,' zegt Daan.
De lunchpauze duurt drie kwartier, dan rijden ze weer met Binky naar het bos.
Liza vraagt of ze langs Stuivenvolt mogen rijden. 'Voor hem is het leuk om Binky aangespannen voor de wagen te zien.'
Meneer Middelman heeft er geen bezwaar tegen. 'Misschien mag de wagen op het erf blijven staan. Stel dat er kort voor de kerstdagen nog een paar bestellingen komen. Dan kunnen jullie vanaf zijn erf Binky aanspannen en naar het perceel rijden.'
'Dat zou leuk zijn!' antwoordt Liza enthousiast. 'Dan kunnen we ook met Anne-Linde een bosrit maken.'
'Doen we,' knikt meneer Middelman. 'Daan zal het geen probleem vinden. Mijn vrouw kan ons ophalen.'
Stuivenvolt is verrast wanneer hij hen op het erf ziet staan. 'Ik moet eigenlijk melken! Dat kan ook twintig minuten later. Ik heb mijn koeien met opzet geen klok leren kijken. Kom mee! Sonja is er. Ze heeft een verse appeltaart meegenomen. Allemaal een punt?'
'Ik lust er wel twee!' grapt Liza.
Met elkaar lopen ze naar binnen.
'Nog één nachtje, dan komt Anne-Linde,' zegt Liza.'
'Praat niet zo hard,' waarschuwt Femke fluisterend.
'Stuivenvolt mag niets horen.'

HOOFDSTUK ZEVENENTWINTIG

Foutje!

'Ik kan geen kerstbomen meer zien!' Met die woorden springt Liza van de wagen af.

'Dat komt mooi uit,' knipoogt meneer Middeldam. 'Alle kerstbomen zijn bezorgd.'

'Deze dan?' Femke wijst naar de grote kerstboom die achtergebleven is.

'Die is voor jullie.'

'Voor ons?' glundert Femke. 'Gaaf!

'Die past nooit op onze zolder,' roept Liza uit.

'Dan geven we hem aan Stuivenvolt.'

'Waarom?'

'Dat is leuk als Anne-Linde op bezoek is. Een kerstboom maakt zijn kamer feestelijk.'

'Voor ons is het toch ook leuk?' Liza kijkt de anderen aan. 'We hebben buitenverlichting. Daar kunnen we de boom mee versieren.'

Femke kijkt meneer Middeldam vragend aan. 'Zou de boom in het weiland, naast het clubhuis kunnen staan?'

'Alles kan.'

'Hoelang is het snoer voor de lampjes?'

'Ik kan een verlengsnoer van thuis halen,' zegt Niels.

Meneer Middeldam wil weten of er stroom in het clubhuis is.

'Ja,' antwoorden Liza en Femke tegelijk.

'Oké! Dan wordt dit onze laatste kerstbomenklus,' besluit hij.

Als de boom toch geplaatst moet worden, is het handig om het clubhuis meteen te versieren.

Ze rijden langs het hotel. Niels haalt zijn ouders op om te laten zien op welke manier ze kerstbomen rondgebracht hebben.

Elles en Maarten nemen warme chocolademelk mee naar buiten. Binky krijgt een appel.

Niels haalt later met zijn vader de spullen op die naar het clubhuis moeten. Samen tillen ze het grote welkomstbord op de wagen.

Na een kwartiertje stapt de ogenschijnlijk onvermoeibare Binky over het middenpad in de richting van Stuivenvolts boerderij.

Liza denkt vaak aan Stuivenvolt, die geen enkel vermoeden heeft wat hem boven het hoofd hangt.

'Een mooier kerstcadeau kan Stuivenvolt zich niet wensen,' glimlacht meneer Middeldam. 'Wat ik persoonlijk bijzonder vind, is dat jullie dit met elkaar in het geheim regelen. Jullie waarderen Stuivenvolt.'

'Nogal,' knikt Femke.

'Eerst vonden we hem een rare man. Hij wilde geen mensen op zijn erf. En hij was helemaal niet dol op meisjes die Binky graag als verzorgpony wilden. Later begrepen we hoe dat kwam. We hebben het heel leuk bij hem op de boerderij.'

'Wie in Nederland heeft een eigen clubhuis?' vraagt meneer Middelman zich af. 'Niemand toch? Alleen jullie.'

De kerstboom wordt op de hoek, naast de ingang van Binky's stal vastgebonden. Voordat ze de boom rechtop zetten, gaan er eerst de lampjes in.

De vlaggetjes hangen langs de dakgoot.

Het bord wordt boven de ingang van de stal bevestigd.

Het ziet er geweldig uit.

Kees Middelmans vrouw komt hen ophalen en parkeert de auto op het erf van Stuivenvolt.

Met een zaklamp lopen ze haar tegemoet omdat je daar buiten geen hand voor ogen kunt zien.

Stuivenvolt vindt het prima dat de wagen van de kwekerij een paar dagen naast de boerderij blijft staan. De werkelijke reden daarvan hebben ze hem natuurlijk niet verteld.

Kees Middeldam legt alle kerstmanpakken in de auto en neemt zich voor om die snel naar het verhuurbedrijf terug te brengen.

Daan zien ze die avond niet meer omdat Binky en de wagen bij Stuivenvolt blijven. Via zijn ouders worden de drie kinderen bedankt voor hun inzet.

'Daan zit vol idealen en probeert die te verwezenlijken. Hij wil mensen aan het denken zetten zodat ze beter om elkaar en het milieu denken. Dat kan met kleine dingen. Zoals het verhuren van kerstbomen, die over een paar weken teruggeplaatst worden in de grond. Door de rugoperatie dreigde deze actie van hem te mislukken. Dankzij jullie is het wel gebeurd. Hij is heel blij met jullie inzet!'

'Wij vonden het super!' zegt Liza. 'Samen een klus doen met Binky.'

Om negen uur 's avonds liggen Niels en Liza elk languit op een bank voor de televisie.

Niels verstuurt af en toe een sms'je naar Femke.

'Waar gaat het over?' wil Liza weten.

'Gaat jou niks aan.'

'Sinds Femke thuis is, heb je wel tien sms'jes naar haar verstuurd?'

'Dertien! Je kunt niet tellen.'

'Jemig!'

Heb jij er last van?'

Liza schudt afkeurend haar hoofd.

'Aansteller.'

Liza's gedachten gaan naar Anne-Linde en de spanning die bij haar thuis heerst.

Waarom wil de moeder van Anne-Linde dat er geen ontmoeting plaatsvindt tussen Stuivenvolt en haar dochter? Zou ze ondertussen doorhebben dat ze met haar gedrag het tegenovergestelde bereikt?

Niels geeuwt.

Plotseling schiet Liza overeind. 'We hebben een fout gemaakt!'

Niels kijkt haar aan met een blik alsof hij het in Keulen hoort donderen. 'Waar heb jij het over?'

'Het bord moet weg.'

'Het welkomstbord?'

'Kom op!' Liza vetert haar schoenen dicht.

'Wat ga je doen?'

'Je hebt de naam van Anne-Linde op het bord geschilderd!'

'Jouw idee!'

'Dat verraadt alles.'

Een ogenblik is het stil.

Dan dringt het tot Niels door wat ze bedoelt. 'Wil je er nu naar toe?'

'Dat zal wel moeten. Stuivenvolt weet dat we een kerstboom hebben gekregen en dat die naast het clubhuis staat. Dat bord, dat mag hij niet zien.'

'Wel goed dat je er nu aan denkt.' Niels zet de tv uit en gaat kreunend staan.

'Ik ben goed. Gaan we op de fiets?'

'Wat moeten we anders?' vraagt hij zich af.

'Papa vragen?'

'Stuivenvolt ziet de autolichten en komt poolshoogte nemen.'

'Dan moeten we op de fiets de kou in.'

'Dacht ik eindelijk uit te kunnen rusten.'

Liza grinnikt.

'Het was jouw idee om haar naam er bij te zetten,' moppert Niels.

'Maar jij hebt het gedaan.'

HOOFDSTUK ACHTENTWINTIG

Spoken

Liza heeft voor haar ouders een briefje op tafel gelegd.

Paps en mams.
Niels en ik gaan naar het clubhuis om het welkomstbord weg te
halen.
We hebben een domme fout gemaakt.
De naam van Anne-Linde staat er vet groot opgeschilderd.
Als Stuivenvolt dat morgen leest, is alles verraden.
We zijn waarschijnlijk om tien uur terug.
Tot straks.

Liza trekt haar winterjas aan, doet een gebreide muts over
haar hoofd en wikkelt een sjaal voor haar gezicht. Ze is
zenuwachtig. 'Zal ik bij jou achterop gaan?'
Niels tilt verbaasd zijn hoofd op. 'Waarom?'
'Ik vind het eng in het donker.'
'Ik ben niet gek.'
'Nee, maar wel mijn grote sterke broer.'
'Fiets zelf maar.'
'Ik durf niet achter je te fietsen.'

'Dan ga je voor me.'

'Ook eng.'

'We kunnen thuis blijven.'

'Dat bord moet weg.'

'Fiets maar naast me.' Grijnzend trekt Niels zijn sjaal tot over zijn neus.

'De Peelderpoel...'

'Ik weet dat je daar bang voor bent,' onderbreekt hij. 'Tel tot dertig en voor je het weet zijn we er voorbij gefietst.'

'Jij denkt dat spoken niet bestaan, hè?'

Niels stompt haar speels tegen haar bovenarm. 'Niet bang zijn. Ik ben bij je en verjaag alle spoken die ons willen pakken. Oeoeoeoe!'

'Hou op.'

Zwijgend fietsen ze langs de villa naar het brede bospad. Liza tuurt naar de lichtbundel van haar fietslamp die onrustig over de grond heen en weer zwenkt. Ze durft niet opzij te kijken, naar de inktzwarte duisternis.

'Je bent stil.'

'Ik weet niks te zeggen,' mompelt Liza. 'Je had beter Femke mee kunnen nemen.'

'Dat was misschien wel romantisch geweest.'

'Ze had wel bij je achterop gemogen?'

'Zeker weten.'

Wanneer ze bijna halverwege zijn, remt Liza.

'Zag je dat?'

Niels stapt af en werpt een spiedende blik langs de donkere bomen naast het pad. 'Wat?'

'Een licht.'

'Echt?'

'Aan de rechterkant. Niet ver bij ons vandaan. Jij reed over een tak. Die knakte. Toen ging het licht uit. Ik wil hier weg.'

Niels luistert aandachtig en denkt snelle voetstappen te horen. Maar waarschijnlijk beeldt hij zich dat in.

'Er is hier iemand vlakbij,' verzekert Liza hem.

'We kunnen een andere route nemen.'

Liza verstaat alleen de laatste woorden, omdat Niels heel zacht praat. 'Is goed.'

Dat andere pad kennen ze nauwelijks. Liza heeft er een keer met Binky gereden en weet dat je met een omweg in de buurt van Stuivenvolts boerderij komt.

Liza heeft het gevoel dat er elk moment iemand voor de fiets zal springen om haar te grijpen. Wat heb je dan nog aan een grote sterk broer?

'Goed opletten,' waarschuwt Niels. 'Vanaf nu niet meer praten.'

Het liefst zou Liza omkeren en naar huis sprinten. Maar dat is zinloos. Ze staan midden in het bos. Het gevaar dreigt aan alle kanten.

Was ze maar thuis gebleven.

Na tweehonderd meter legt Niels zijn hand op Liza's onderarm en beduidt dat ze moet stoppen.

'Iets gezien?' piept ze benauwd.

'Ik dacht dat ik wat hoorde.'

'Waar?'

'Vlak voor ons.'

'Fietsen wij achter iemand aan?'

'Ik weet net zoveel als jij.'

'Terug?'

Niels weet niet wat verstandig is.

'Wat doen we?' fluistert ze nerveus in zijn oor.

'Ik denk dat hij voor ons op de vlucht is.'

'Zou het?'

'Kom.'

'Het kan gevaarlijk zijn.'

Niels fietst langzaam verder. Liza moet wel volgen.

Honderd meter verderop staan ze opnieuw stil.

'Hier is een pad naar links,' weet Liza. 'Dan ga je met een grote bocht in de richting van het clubhuis.'

'Doen we.'

Met bonkend hart fietst Liza verder. Het voelt griezelig dat er iemand in hun buurt is, die niet gezien wil worden.

Vijf minuten later komen ze eindelijk bij het weiland aan.

De fietstocht leek een eeuwigheid te duren.

Liza ziet Binky in de buurt van het hek onrustig heen en weer lopen.

Heeft Binky iets gezien?

'Onraad, dus,' mompelt Niels. 'Misschien is er een stroper in dit gebied bezig.'

Liza probeert Binky gerust te stellen. De pony loopt tussen hen in mee naar het clubhuis.

Ze hebben beiden hun zaklamp aan. Liza diept haar sleutel uit haar jaszak op en opent de deur.

Niels pakt haastig een trapje en gereedschap, dat er nog ligt.

'Ga maar met de rug tegen het clubhuis staan,' zegt hij. 'Dan kun je alles in gaten houden. Wanneer het nodig is, schijn je mij bij met de zaklamp.'

Hij draait de schroeven uit het hout en haalt met behulp van Liza het bord van het clubhuis.

Binky staat op afstand toe te kijken. Hij begrijpt er niets van.

Het bord wordt binnen, achter de strobalen neergezet. Binky krijgt een handvol biks als afscheid.

Wanneer Liza vijftien minuten later in de verte het licht van het hotel tussen de donkere bomen door ziet schemeren, haalt ze opgelucht adem.

'Of spoken bestaan, weet ik niet zeker.' Niels trekt een brede grijns.

'Dit was een man,' beweert Liza.
'Zou hij nu denken dat hij door spoken achtervolgd is?'
'Zie ik er zo raar uit?' grinnikt Liza.

HOOFDSTUK NEGENENTWINTIG

Blij?

Femke geeft Liza een speelse duw. 'Sta eens stil. Je wiebelt de hele tijd heen en weer.'
'He, kijk uit! Ik val bijna.'
'Ik word zenuwachtig van je.'
'Jouw probleem.'
Ze giechelen.
Liza en Femke staan bij het raam in de grote hal van de terminal te wachten.
Twintig minuten geleden is de veerboot aangemeerd. De eerste auto's rijden over de brede laadklep de kade op.
Voetgangers worden via een andere deur naar de terminal geleid.
Anne-Linde kan elk moment arriveren.
Femke vraagt zich af of het vervelend voor Anne-Linde is geweest om alleen te reizen.
'Volgens mij moest ze alles bij elkaar zes uur reizen...' zegt Maarten die een paar meter achter de meisjes staat.
'Best lang,' vindt Liza.
'Daar loopt ze!' wijst Femke opgewonden.
Liza staat op haar tenen en zwaait met twee armen door de

lucht. Anne-Linde kijkt zoekend in het rond, maar ziet niets.
Maarten gebaart naar de grote glazen schuifdeuren. 'Daar
moeten we naar toe.'
Liza rent vooruit.
'Hallo Anne-Linde!' groet ze hijgend. 'Welkom in Nederland!'
Verbouwereerd kijkt Anne-Linde naar het drietal dat opeens
voor haar neus opdoemt.
Ze ziet er mooi uit met haar lange, geverfde haar waarover
een donkerrode gloed hangt.
Het is te zien dat ze een dochter van Stuivenvolt is. Ze heeft
een brede kaaklijn, diepliggende bruine ogen, een licht gebo-
gen neus en kuiltjes in haar wangen.
Liza geeft haar spontaan twee kussen op haar wang. Femke
volgt haar voorbeeld.
Maarten steekt zijn hand uit. 'Ik ben niet zo zoenerig. Dat
heeft mijn moeder mij afgeleerd. Van haar mocht ik geen
vreemde meisjes zoenen.'
Lachend lopen ze door de grote hal naar buiten.
Anne-Linde doet haar best om opgewekt te zijn.
Ze is het niet.
'Moe?' vraagt Femke.
'Van reizen word je altijd moe.'
'Vind je het spannend.'
'Ja.'
Femke en Liza wisselen een blik met elkaar.
Maarten vraagt of de meisjes eerst iets willen drinken voor-
dat ze terugrijden naar Burchtwaarde.
'Alstublieft,' knikt Anne-Linde.
'Cola, thee of iets anders? Zeg het maar.'
Ze kiezen allemaal voor warme chocolademelk met slag-
room.
Anne-Linde moet nog wennen aan het Nederlands spreken.

141

Ze gebruikt Engelse en Nederlandse woorden door elkaar. Anne-Linde verontschuldigt zich. 'Ik moet even bellen.'

'Jouw moeder?' vraagt Liza.

Anne-Linde verstrakt. 'Nee, haar hoef ik niet te bellen. Ze ging niet mee naar Harwich, gaf me geen kus en zwaaide niet toen we bij huis wegreden.'

'Vervelend,' mompelt Femke ontdaan.

'Het was te verwachten. Ze wil niet dat ik ga en is razend op me, omdat ik wel gegaan ben.' Ze houdt haar telefoon omhoog. 'Ik heb beloofd om naar mijn stiefvader te bellen. Hij maakt zich zorgen over me. Hij wel.' Anne-Lindes ogen vullen zich plots met tranen. Ze haalt een papieren zakdoek uit haar tas en snuit haar neus.

Liza en Femke weten niet wat ze zeggen moet. Het is vreselijk als je moeder zo met je omgaat.

'Misschien huilt zij ook,' zegt Femke zachtjes.

'Zij?'

'Jouw moeder.'

Anne-Linde schudt het hoofd. 'No way.'

'De kans is groot dat ze deze situatie net zo moeilijk vindt als jij.'

'Zij maakt zelf de problemen.'

Anne-Linde wil niet over haar moeder praten en belt kort met haar stiefvader in Engeland.

Maarten heeft de bestelling doorgegeven en schuift fronsend bij de meisjes aan tafel.

Om het gesprek op gang te brengen, vraagt Femke aan Anne-Linde hoe de reis verlopen is.

'Ik heb veel gelezen.'

Maarten luistert naar het gesprek tussen de meisjes, zonder zich er mee te bemoeien. Hij vindt het sneu voor Anne-Linde dat haar moeder het zo moeilijk voor haar maakt.

Opeens noemt hij haar naam.

'Anne-Linde.'

'Ja?'

Drie meisjes draaien hun hoofd opzij.

'Ik begrijp dat het lastig voor jou is.'

'Belachelijk situatie!' ze spuugt de woorden bijna uit haar mond. 'Omdat ik naar mijn vader wil, wordt mijn moeder boos.'

'Probeer er niet te veel over in te zitten. Piekeren verandert namelijk niets aan de situatie. Wat je ook doet, het zal in haar ogen nooit goed zijn. Zij heeft een probleem en dat richt ze op jou. Dat is oneerlijk. Ze zou beter moeten weten. Maar je mag nooit vergeten dat zij ook een mens is met gevoel. En onze gevoelens zorgen er vaak voor dat we onredelijk zijn. Probeer dat, telkens als je aan haar denkt, te onthouden.'

'Dat lukt niet,' zucht Anne-Linde.

'Als je oefent, gaat het vanzelf een keer lukken.'

Liza kijkt verbaasd naar haar vader. Hij is geen prater. Zeker niet over gevoelens. Dat laat hij liever aan Elles over. Liza had deze woorden nooit van hem verwacht.

Anne-Linde schenkt hem een glimlachje. 'Ik doe mijn best.'

'Wij helpen je wel,' belooft Femke.

'Je bent hier maar een paar dagen,' gaat Maarten verder. 'Laat die dagen niet verzieken door nare gevoelens. Dat is zonde. Die twee meiden hebben leuke dingen bedacht. Het gaat bijzonder worden. Geniet er van en probeer blij te zijn. Denk maar aan je vader. Hij weet nergens van. Dit wordt het mooiste kerstfeest van zijn leven.'

'Er is nog iemand....,' zegt Liza.

Anne-Linde kijkt van de één naar de ander. 'Nog iemand?'

'Ja, Binky!'

Dan glijdt voor het eerst sinds haar aankomst een blije glim-

lach over Anne-Lindes gezicht. 'Natuurlijk, Binky!'
'Hij zorgt er wel voor dat je alle nare dingen even vergeet,'
knikt Maarten.
'Dat geloof ik meteen.'
'Wil je hem vanavond zien?'
'Vanavond? Kan dat?'
'Natuurlijk!' antwoorden de Pony Friends lachend.

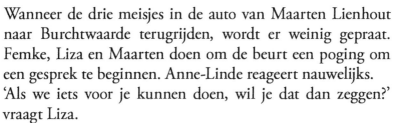

HOOFDSTUK DERTIG

Binky's ontvangst

Wanneer de drie meisjes in de auto van Maarten Lienhout naar Burchtwaarde terugrijden, wordt er weinig gepraat. Femke, Liza en Maarten doen om de beurt een poging om een gesprek te beginnen. Anne-Linde reageert nauwelijks.
'Als we iets voor je kunnen doen, wil je dat dan zeggen?' vraagt Liza.
'Doe ik.'
'Je bent zo stil...'
'Ik ben gewoon moe en een beetje nerveus, dat is alles.'
Liza stelt voor om alle verlichte kerstbomen die vanaf de weg zichtbaar zijn te tellen. 'Femke telt de bomen die links van de weg staan en wij rechts.'
'Doen jullie dat maar,' mompelt ze.
Anne-Linde krijgt steeds meer moeite met het gedrag van haar moeder.
Hoe kon ze zo hard zijn om vader en dochter te scheiden? Haar vader houdt echt van haar! Dat weet ze zeker, na al die lieve verhalen die ze over hem gehoord heeft.
De vorige keer toen ze in Nederland was en op eigen houtje op onderzoek is gegaan, heeft ze hem van dichtbij gezien.

Dat moment zal ze nooit vergeten. Het was een schok van herkenning.

Ze voelde verwarring, maar vooral blijdschap.

Jarenlang had ze niets van hem gehoord. De schuld van haar moeder.

Reitze Stuivenvolt, de man die ze op het erf zag staan, voelde als een vertrouwde vreemde.

Ze schaamde zich voor haar moeder, die had gelogen.

Ze schaamde zich ook voor zichzelf, omdat ze haar vader een beetje 'vergeten' was.

Hoe kon zoiets gebeuren?

Waren de leugens van haar moeder zo geloofwaardig?

Soms voelt ze een diepe haat voor haar moeder.

Ze is in Nederland voor een bezoek, terwijl ze haar moeder woedend in Engeland heeft achtergelaten.

Wil ze wel terug naar Engeland?

Zijn er andere mogelijkheden?

'Het begint te sneeuwen!' roept Liza opgetogen.

'Gelukkig, we zijn bijna thuis. Ik hou er niet van om met sneeuw te rijden,' vertelt Maarten.

Iets over zevenen stappen ze uit de auto. Niels en Elles staan op de uitkijk bij het raam.

'Kijk het ontvangstcomité van Burchtwaarde staat voor je klaar!' grijnst Maarten.

'Lekker ding,' merkt Anne-Linde op.

'Wie?' vraagt Liza met opgetrokken wenkbrauwen.

'Jouw broer.'

'Ja, dat is zeker een lekker ding,' grinnikt Liza. 'Daar kan Femke over meepraten.'

'Zeg het dan,' fluistert Femke.

'Dat kun je zelf ook doen.'

Femke zwijgt.

146

Maarten en Anne-Linde halen de bagage uit de auto.

'Hoe oud is Niels?'

'Hij heeft al verkering,' vertelt Liza nadrukkelijk.

'Mag ik daarom niet weten hoe oud hij is?'

'Zestien.'

Femke passeert de twee meisjes en stapt chagrijnig naar binnen.

'Welkom in Villa Lienhout!' Elles kust Anne-Linde op beide wangen en neemt haar mee naar de grote woonkamer. 'Straks laat ik jou de logeerkamer zien.'

'Mooi huis!'

'Villa!' verbetert Niels haar.

Anne-Linde lacht naar hem.

Femke laat een spottend geluid horen.

'Doe niet zo kinderachtig!' sist Liza als ze met Femke alleen in de keuken is.

'Doe ik dat?!'

'Chagrijn.'

'Iedereen vindt hem leuk.'

'Klopt.'

'Dat vind ik niet leuk.'

'Ik snap het wel,' mompelt Liza.

'Je snapt het niet.'

'Niels is populair. Dat zal altijd wel zo blijven. Daar moet je aan wennen.'

'Hij ruilt me zo in voor een ander.'

'Dan ken jij Niels niet!' reageert Liza bits.

'Ik kan er op wachten.'

'Hij laat geen mensen vallen. Hij geeft om jou. Jij bent gewoon jaloers.'

'Helemaal niet!'

'Dames?' Maarten zet lege kopjes in de afwasmachine en

kijkt de meisjes om beurten aan. 'Ruzie?'

'Nee, hoor,' antwoordt Femke verbaasd en probeert Liza duidelijk te maken niets tegen haar vader te zeggen.

'Niels en Elles hebben middag een taart van marsepein naar het clubhuis gebracht. Die is voor Anne-Linde, van Binky.'

'Woow!' Liza kijkt even in Femkes richting.

'We kunnen er met de auto naar toe gaan. Stuivenvolt is met Sonja naar de bioscoop. We lopen geen risico dat hij Anne-Linde zal zien.'

Liza loopt naar het raam en tuurt de donkere tuin in. 'Kan dat met de sneeuw?'

'Ja. Het sneeuwlaagje is nu nog flinterdun.'

'Laten we dan nu maar gaan!'

Iedereen kleedt zich warm aan.

Anne-Linde voelt zich bijzonder tussen deze mensen die haar zo hartelijk ontvangen. Dat ze naar Binky gaan, vindt ze geweldig!

Gewapend met een paar zaklampen lopen ze even later door het donkere weiland naar het clubhuis van de Pony Friends.

Anne-Linde vindt de kerstboom met de lichtjes prachtig.

'Wat een leuk idee!'

'Voor jou gedaan,' vertelt Femke, die haar best doet om gewoon te doen. Maar dat Anne-Linde Niels een 'lekker ding' noemde, zit haar nog steeds niet lekker.

Binky staat in de stal. De onderdeur is gesloten.

Niels schijnt met de zaklamp naar binnen.

'Woow,' fluistert Anne-Linde verrast.

De stal is versierd. Boven op een hoge plank staat de taart, verpakt in een fleurige doos met gouden linten. Aan de binnenkant van de deur, onzichtbaar voor Stuivenvolt, hangt een groot vel papier waarop staat:

Welkom!
Liefs, Binky

Anne-Linde staat roerloos in de deuropening en kijkt naar de pony. 'Binky? Ken je me nog?'
Binky spitst zijn oren en kijkt opzij.
Iedereen houdt zijn adem in.
Opeens, stapt Binky naar voren en legt zijn hoofd zachtjes op de schouder van Anne-Linde.
Een ontroerend moment.
Anne-Linde krijgt tranen in haar ogen.
De anderen, achter haar, ook
'Zullen we maar taart gaan eten?' Anne-Linde veegt met een mouw haar tranen weg.
'Alleen als Binky ook een stukje krijgt,' zegt Liza.
'Dat mag van mij!' lacht Anne-Linde.

HOOFDSTUK EENENDERTIG

Ontdekking

Anne-Linde legt haar hoofd tegen de hals van Binky en ruikt de geur van zijn warme vacht. Met haar vingers kriebelt ze door de manen. Binky staat rustig naast haar.

'Zou hij me echt herkennen?' vraagt Anne-Linde met een verlegen lachje.

Liza knikt bevestigend. 'Dat weet ik wel zeker. Binky gaat nooit zo maar naar mensen toe. Hij wil eerst uitvinden met wie hij te maken heeft. In die korte periode dat je bij Binky was, heb je indruk op hem gemaakt. Hij is je niet vergeten.'

De ogen van Anne-Linde stralen. Dit had ze niet verwacht. Wanneer ze het clubhuis binnengaan, vindt Femke het jammer dat ze geen cadeautjes onder de boom hebben liggen.

'Dat kan nog,' fluistert Liza, 'Morgen zijn de winkels open. Op dinsdag en woensdag wordt kerstmis gevierd. Maandag na school…'

'We hebben weinig geld.'

'Het hoeft niet veel te kosten. We kopen voor ons drietjes een dagboek en bakken muffins. Ik vraag wel of Niels ook mee wil doen.'

'Liever niet,' onderbreekt Femke. 'Hij hoort er niet bij.'

'O.' Liza wendt haar blik af. Ze wil Niels uit de buurt van Anne-Linde houden. Jammer dat jaloezie zo snel de kop op steekt.

Lachend stommelt iedereen over de zolder, op zoek naar een zitplek onder het schuine dak. Elke keer wanneer iemand zijn of haar hoofd stoot, schieten de anderen in de lach. Anne-Linde voelt zich beter. Het weerzien met Binky heeft een positief effect op haar gehad.

'De deksel mag van de doos!' Elles maakt een uitnodigend gebaar naar Anne-Linde.

Iedereen is onder de indruk van de prachtige taart waarop in letters van marsepein staat geschreven:

BINKY WENST ANNE-LINDE
VEEL GELUK!

Ietwat verlegen bedankt Anne-Linde iedereen. 'Ik vind het erg lief.'

'Het is vooral lekker!' merkt Niels humoristisch op. Hij geeft haar een mes om de taart in stukken te kunnen snijden.

Elles deelt vorkjes en kartonnen schaaltjes uit.

Ze praten gezellig met elkaar.

Femke zegt weinig, maar dat valt alleen Liza op.

De taart is heerlijk. Vooral de aardbeiencrème onder de marsepeinen laag.

'Stil eens.' Liza springt haastig op en loopt naar het raampje waar ze het erf van Stuivenvolt kan zien. 'Shit!'

Het is doodstil op zolder.

'Stuivenvolt?' vraagt Maarten.

'Ik zag autolichten achter een schuur verdwijnen.'

'Geen paniek,' zegt Elles. 'Ze zijn eerder thuisgekomen en hebben onze auto gezien. Sonja is er bij. Ze zal de auto her-

kennen en weet dus dat wij hier zijn.'
'Misschien komen ze hier naartoe!' roept Liza.
'Dan moeten wij ze vóór zijn,' mompelt Maarten. 'Wij gaan er heen.'
'Anne-Linde mag niet gezien worden,' zegt Niels. 'We houden het nog even geheim. Verzin een goede smoes. Ik blijf bij haar.'
Met opgeheven hoofd loopt Femke langs Niels en keurt hem geen blik waardig. Hij merkt het niet. Met vonkende ogen daalt ze de steile trap af.
Elles besluit bij Niels en Anne-Linde in het clubhuis te blijven.
Femke, Liza en Maarten rennen door het donkere weiland en klimmen over het hek. Wanneer ze het erf naderen, merken ze dat er iets niet klopt.
'Hoe kan dat?' Liza staat midden op het erf en draait een rondje. 'Er is niemand.'
'Weet je zeker dat je een auto zag?' wil Maarten weten.
'Honderd procent.'
Femke schijnt met de zaklamp op de grond. In het dunne sneeuwlaagje zijn bandensporen te zien.'
Ze volgen de sporen. Al snel blijkt dat de auto langs de boerderij, de aangrenzende stallen en het tuintje van Stuivenvolt in de richting van een houten brug is gereden.
'Waarom zou Stuivenvolt doorrijden naar het eind van zijn land?' vraagt Femke.
'Misschien zijn ze in een romantische bui,' oppert Liza.
'Doe de lampen uit,' commandeert Maarten fluisterend.
Niet ver bij hen vandaan horen ze dat er iets over de grond gesleept wordt.
Twee mensen praten op gedempte toon met elkaar.
'Dat is niet de stem van Stuivenvolt,' fluistert Liza.

'Ik ga kijken.' Maarten is nauwelijks te verstaan. 'Jullie blijven hier.'

Gespannen wachten de meisjes op Maartens terugkomst.

'Ik moet bellen,' zegt hij en wenkt de meisjes met hem mee te komen.

'Wat heb je gezien?' Liza tikt op zijn schouder.

'Twee jongens van een jaar of twintig. Achter de oude caravan van Stuivenvolt liggen allemaal kerstbomen die ze op een aanhanger leggen.'

'Kerstbomen?' herhaalt Liza en ziet opeens die jongen weer fietsen met een boom waaraan een prijskaartje hing. Ze vond hem verdacht omdat hij uit het bos kwam. 'Waar komen die vandaan?'

'Ik zag laatst een licht in de buurt van de boerderij. Alsof er iemand rondsloop,' herinnert Femke zich. 'Wat ze uitspoken, weet ik niet,' mompelt Maarten. 'Ze moeten tegengehouden worden. Ik bel de politie.'

'Is het niet beter om eerst te vragen wat ze doen?' stelt Femke voor.

'Dan gaan ze er vandoor. Ze zijn nog wel even bezig. Het lukt niet om de bomen goed op de aanhanger te krijgen.'

'Kees Middelman,' fluistert Liza opgewonden. 'Ik heb zijn nummer. Misschien zijn het de kerstbomen die van hun perceel gestolen zijn.'

Er gebeurt van alles tegelijk.

Maarten en Liza telefoneren op fluistertoon.

Liza legt Kees Middelman uit waar ze zijn en wat ze ontdekt hebben. Hij weet waar Stuivenvolt woont.

'Ik stap direct in mijn auto en rijd naar jullie toe.'

'Gelukje,' mompelt Maarten tevreden wanneer hij het gesprek beëindigt. 'Er is toevallig een surveillancewagen van de politie op de rondweg. Ze kunnen hier binnen een paar minuten zijn.'

'Zal ik naar het erf gaan om de politie de weg naar de cara-van te wijzen?'

'Nee Liza. We blijven bij elkaar. Ik heb verteld dat ze de spo-ren van de autobanden in de sneeuw kunnen volgen.'

'Bizar,' vindt Femke.

Verstopt achter de struiken wachten ze de komst van de poli-tie af. Als de auto nadert, doven ze de lichten. Maarten loopt er naar toe om de situatie uit te leggen. Twee agenten lopen mee. Pas als ze dichtbij zijn, wordt er met een grote zaklamp op het tweetal geschenen.

'Dag heren!' groet één van de agenten. 'Hulp nodig?'

De jongens staan als aan de grond genageld in het felle licht.

Liza en Femke kijken vanaf een afstand.

De jongens zien er niet uit als criminelen. Maar dat zegt niets.

'Rennen!' roept de lange jongen.

'Voor een paar kerstbomen?' zucht de ander.

'Kom dan!'

'Ik niet!' De jongen, die zeker een hoofd kleiner is dan zijn maat, laat de kerstboom uit zijn handen vallen. 'We zijn er bij.'

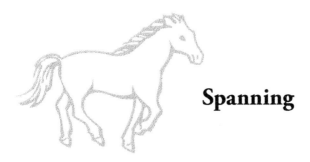

HOOFDSTUK TWEEËNDERTIG

Spanning

Het is maandagochtend. De kerstvakantie is echt begonnen. Liza, Niels en Anne-Linde zitten met elkaar aan de ontbijttafel en praten over de achttienjarige kerstbomendieven uit Burchtwaarde.

'Echt sukkels!' vindt Liza.

De jongens wilden op een snelle manier geld verdienen. Dus bedachten ze het plan om kerstbomen uit het bos te halen. Best lastig, want de kans om betrapt te worden was groot. De motorzaag maakte een hels lawaai. Toch ging het goed. Er kwam geen verontruste boswachter of verdwaalde wandelaar naar hen toe.

Ze vonden zichzelf slim toen ze kerstbomen per fiets vervoerden en aan de top van elke spar een opvallend prijskaartje knoopten. Mocht iemand onraad ruiken, dan konden ze laten zien dat de boom gekocht was. Blijkbaar viel het niet op dat ze steeds met een kerstboom achter op de fiets uit het bos kwamen.

Ondertussen hadden ze het voor elkaar gekregen om maandag, de laatste dag voor kerstmis vijfentwintig kerstbomen bij een megabedrijf te bezorgen. Die klus zou hun meer dan tweehonderd euro opleveren.

Het betrof een groot kantorencomplex waar tijdens de kerstdagen doorgewerkt werd! Zoveel kerstbomen konden ze niet op de fiets vervoeren, dus zochten ze naar een plaats om de omgezaagde voorraad te verzamelen. Ze vonden een afgelegen plek dat aan het land van een bouwvallige boerderij grensde. Ze dachten dat de boerderij leegstond. Dat Stuivenvolt niets gemerkt heeft, is een raadsel.

Zondagavond leenden ze een wagen met grote aanhanger, zodat maandagochtend de bestelling bij het bedrijf afgeleverd kon worden. Zover is het dus niet gekomen.

'Ze hadden er behoorlijk de smoor in,' grijnst Niels. 'Ik blijf het stom vinden wat ze gedaan hebben. Wat een werk! Wat een gesjouw voor tweehonderd euro. Steel vijf fietsen, dan verdien je sneller geld, volgens mij.'

'Wat ben jij slecht!' plaagt Anne-Linde.

'Die twee jongens hebben keihard gewerkt. Maar hun plan is mislukt. Ze hebben geen cent. Als ik een crimineel zou zijn, pakte ik het anders aan.'

'Wij hebben helaas geen geld van Daan gekregen,' zegt Liza. 'Dus geen cadeautjes.'

'Het is fijn om iemand te helpen,' vindt Anne-Linde.

'Dat is waar. Eigenlijk is het jouw schuld,' lacht Liza. 'We wilden cadeautjes kopen om onder de boom te leggen. Maar, ja! Geldgebrek. Daarom gingen we op zoek naar een baantje voor twee dagen. Zo kwamen we bij Daan en zijn vader Kees Middelman terecht.'

'Lief dat jullie dit allemaal voor mij doen.' Anne-Linde kijkt hen om de beurt aan.

'En voor jouw vader,' vult Liza aan.

Anne-Linde zegt dat het haar spijt, dat ze soms down is. 'Ik denk steeds aan mijn moeder. Haar boosheid voelt naar.'

Liza en Niels begrijpen dat wel.

De stilte die valt, wordt na een paar seconde verbroken omdat Niels' telefoon overgaat.

Het is Femke.

'Hallo, met mij… We zitten met elkaar aan tafel. Ja, Anne-Linde ook. Nee, we hebben geen plannen. Jij wel?' Niels luistert aandachtig en trekt een spijtig gezicht. 'Ik hou niet van winkelen. Dat zul je zonder mij moeten doen. Ik blijf liever thuis. Kom je straks hier naar toe?' Niels trekt een frons boven zijn neus en staart verbouwereerd naar zijn telefoon.

'Verbinding verbroken.'

'Chagrijnig?'

'Daar lijkt het op.'

Liza steekt haar tong uit. 'Verkering, begh…'

'Ze wil graag met me winkelen.'

'Femke wil jou graag voor zichzelf.'

Niels en Anne-Linde kijken Liza verbaasd aan.

'Zo doet ze wel,' geeft Niels toe.

Liza kijkt naar Anne-Linde. 'Jij maakte gisteren een opmerking over Niels.'

'Dat ik hem leuk vond,' grinnikt Anne-Linde.

'Je zei het ietsje anders.'

Anne-Linde drukt een vinger tegen haar lippen. 'Ssst, niet zeggen.'

'Femke is jaloers en denkt dat jij Niels van haar afpikt.'

'Oh,' kreunt Niels. 'Wat haalt ze zich in haar hoofd. Ik heb geen zin in moeilijk gedoe.'

'Help haar een beetje,' smeekt Liza. 'Vraag of ze hier komt. Dan gaan we de grote verrassing voorbereiden. We beginnen straks met bakken. Daar heb ik haar hulp bij nodig.'

'Duimen jullie?' Niels loopt naar de hal om Femke terug te bellen.

'Dit vind ik dus niet leuk,' zucht Anne-Linde. 'Mensen die moeilijk doen. Alsof het mijn schuld is.'

'Trek het je niet teveel aan. Niels praat wel met Femke.'

'Eerst mijn moeder, nu Femke.'

'Denk aan vanavond. Dan gaat het gebeuren.'

Anne-Linde drukt een hand tegen haar buik. 'Ik heb last van zenuwen. Hoe gaan we het doen?'

'Met Binky!'

'Ja, hij moet erbij zijn!' knikt Anne-Linde met een glimlach die van oor tot oor reikt.

'Het is misschien leuk dat we jou met paard en wagen naar de boerderij brengen.'

'Ingepakt als kerstcadeau?'

'Wat jij leuk vindt. Je kunt ook tussen het stro liggen of in een kerstmannenpak.'

Anne-Linde giechelt. Ze voelt kriebels in haar buik. Nog even, dan wordt ze eindelijk met haar vader herenigd. Ze zal weer op de boerderij slapen. Haar geboorteplek waar ze tot haar kleutertijd gewoond heeft.

Na al die jaren voor het eerst weer met haar vader en zijn vriendin Sonja kerstfeest vieren.

Aan de tijd die daarna komt, denkt ze liever niet. Ze blijft maar een paar dagen in Burchtwaarde. Dan moet ze terug naar Engeland, naar een huis vol spanning.

Opeens stuift Elles de keuken in en wil precies weten wanneer Anne-Linde naar Stuivenvolt gaat.

Liza legt het haar uit, maar vindt het een beetje vreemd.

Zou ze iets van plan zijn?

'Stuivenvolt moet naar buiten komen en ontdekken wie er op de wagen zit,' gaat Liza verder. 'En, dan...'

158

'Ik weet genoeg,' lacht Elles geheimzinnig.

'Waarom wil je dat weten?'

'Zomaar.'

'Dat geloof ik niet. Ga je iets doen?'

'Ik zeg niks!' Met die woorden verdwijnt ze naar de hal.

Dat Elles iets in haar schild voert, is duidelijk.

'Gelukt!' roept Niels opgelucht als hij in de deuropening staat.

'Wat?' vraagt Anne-Linde nieuwsgierig.

'Femke komt hier naar toe om te helpen met bakken. Ze blijft de hele dag. Ze vindt het jammer dat er nu geen cadeautjes onder de kerstboom zullen liggen. Die had ze dus vandaag met mij willen kopen.'

'Geeft niks,' lacht Anne-Linde. 'Het gaat niet om de cadeautjes.'

HOOFDSTUK DRIEËNDERTIG

Nog meer geheim bezoek!

De meisjes dringen er bij Niels op aan om Femke tegemoet te fietsen.

'Dan kun je rustig met haar praten. Aandacht is heel belangrijk. Daar scoor je bonuspunten mee!' beweert Liza met een grijns.

Niels laat zich ompraten en fietst met tegenzin richting Burchtwaarde. Hij zal haar proberen duidelijk te maken dat er geen reden is om jaloers te zijn.

'Zou ze boos op mij zijn?' vraagt Anne-Linde.

'Nee. Femke is een denker, geen ruziezoeker.'

'Wat bedoel je?'

'Dat ze nadenkt. Ook over zichzelf. Jouw opmerking over Niels maakte haar onzeker. Ze is bang hem kwijt te raken. Ze heeft wel door dat ze fout zat.'

'Wel eens verliefd geweest?'

'Mwah... Wat is dat?'

'Weet je dat niet?' giechelt Anne-Linde.

'Die ziekte waarbij je helemaal in de war raakt, niet meer kunt nadenken en nog maar één ding wilt; bij je vriendje zijn! Vreselijk is dat. Nee, verliefd zijn, dat is niks voor mij!

Binky gaat boven alles.'

Anne-Linde proest het uit omdat Liza, bij alles wat ze zegt, vreemde gezichten trekt.

Als Niels en Femke binnenkomen, ziet Liza in een oogopslag dat alles in orde is. Femke is opgewekt en houdt een digitale camera omhoog. 'Ik wil jouw vader fotograferen wanneer hij jou ziet. Een moment om nooit meer te vergeten.'

Anne-Linde is onder de indruk van haar voornemen en zegt daar blij mee te zijn. Het zullen prachtige foto's worden. Dat weet ze nu al.

Er worden twee appelcakes, een tulband met rozijnen en dertig muffins gebakken.

De tijd vliegt om. Ze hebben het gezellig met elkaar. Er valt geen onvertogen woord. Niels heeft Femke blijkbaar gerust kunnen stellen.

Opvallend is dat Elles regelmatig komt kijken.

'Vreemd,' mompelt Liza. 'Ze komt vaak bij ons en als ze buiten is belt ze iemand. Dat kan toeval zijn, toch...?'

Niels denkt dat ze iets in haar schild voert.

'Een verrassing?'

'Laten we dat maar hopen.'

'Vanaf nu moeten jullie mijn instructies volgen.' Met die woorden stapt Elles halverwege de middag de villa binnen. 'Om half vijf worden jullie in de hotelkeuken verwacht. Daar is het razend druk, maar in personeelsruimte is de tafel gedekt. Er staat soep met stokbrood op het menu! Een lichte maaltijd, vanwege tijdgebrek. Vanavond eten jullie je toch vol met muffins en appelcake.'

'De spanning hangt zelfs in het hotel,' fluistert Anne-Linde later. Ze is bloednerveus.

'Dat komt door dat geheimzinnige gedoe van mijn moeder,' denkt Liza.

'Nog even volhouden,' glimlacht Niels. 'De laatste loodjes zijn altijd het zwaarst.'

Na de maaltijd fietsen ze warm ingepakt door het donkere bos naar het clubhuis. Anne-Linde zit bij Maarten achter op de bagagedrager. Het bos is bedekt met een dun laagje sneeuw, waardoor het er sprookjesachtig uitziet.

Als ze het clubhuis naderen, zien ze dat de lichtjes in de kerstboom al branden.

Wie zou dat gedaan hebben? Er is iemand geweest.

Het ziet er heel mooi uit, vooral omdat er sneeuw ligt.

Binky steekt direct zijn hoofd over de onderdeur van de stal en hinnikt.

'Wow!' Liza ziet tot haar verbazing dat er cadeaus onder de kerstboom liggen. 'Van wie zijn die?'

Elles lacht. 'Dat horen jullie straks. Eerst moet Stuivenvolt zijn grote kerstcadeau krijgen.'

Ze borstelen Binky en geven toe nieuwsgierig naar de cadeaus te zijn.

'Vanaf vandaag geloof ik echt in de kerstman,' grinnikt Femke.

In optocht lopen ze met Binky naar het erf om hem aan te spannen. Door gebrek aan ervaring, gaat dat niet van een leien dakje.

Stuivenvolt is in de melkstal en heeft niets in de gaten.

'Je bent nog niet ingepakt als kerstcadeau,' merkt Liza op.

'Maakt niet uit,' mompelt Anne-Linde ongeduldig. Het gaat te lang duren. Ze wil haar vader zien.

Het drietal besluit met de wagen naar de oude brug te rijden, omdat daar voldoende ruimte is om te keren. Als Niels de telefoon van Femke over laat gaan, spreken ze af dat ze naar het erf terugrijden, waar Stuivenvolt en Sonja dan nietsvermoedend op hen staan te wachten.

De spanning zit in hun hele lijf.
Aan de zijkanten van de wagen hangen vier grote kaarslantaarns. Prachtig om te zien, maar het geeft weinig licht. Ze vertrouwen er op dat Binky goed in het donker kan zien. Dan is het zo ver! Niels geeft het sein dat ze mogen komen. 'Kom op, Binky! Je mag het mooiste kerstcadeau van de hele wereld wegbrengen!' Met opgeheven hoofd stapt Binky voorwaarts. Hij voelt dat er iets belangrijks gaat gebeuren.
Anne-Linde zit in het midden. Haar ademhaling gaat onregelmatig. Nooit eerder was ze zo zenuwachtig als nu. Liza en Femke merken het wel, maar zeggen niets. Dit is geen moment om te praten, maar om te beleven!
Als ze de achterkant van de boerderij genaderd zijn, vraagt Liza aan Anne-Linde of ze er klaar voor is. 'Helemaal,' glundert Anne-Linde. Haar stem trilt.
Maarten staat op de hoek van de boerderij onder de buitenlamp. Hij doet een stap naar achteren. 'Reitze, volgens mij krijg je visite!'
'Visite?' Stuivenvolt kijkt zoekend rond. Op het pad vanaf de rondweg naar zijn boerderij ziet hij niemand.
'Waar dan?' vraagt Sonja niet begrijpend.
Dan hoort hij een gehinnik. 'Binky?!' Met grote passen loopt hij naar de hoek en tuurt het donker in.
'Binky én de Pony Friends!'
'We hebben een speciaal kerstcadeau meegebracht!' roept Liza opgewonden. 'Ogen dicht!'
Binky stopt op een paar meter afstand voor Stuivenvolt.
'Mag ik kijken?' vraagt Stuivenvolt lacherig
'Papa,' fluistert Anne-Linde. 'Ik ben het.'
Verbijsterd haalt Stuivenvolt zijn handen voor zijn ogen weg en staart naar het meisje dat in het midden op de wagen zit.

163

Hij opent zijn mond, schudt zijn hoofd, probeert opnieuw iets te zeggen, veegt tranen van zijn wangen en loopt dan met uitgestrekte armen naar zijn dochter. 'Anne-Linde,' mompelt hij met hese stem.

'Hallo, pap!' Ze springt van de wagen en omhelst hem.

'Meisje, hier heb ik lang opgewacht. Welkom thuis.'

Ze lachen door hun tranen heen.

Net als de anderen, die in een kring rondom hen staan.

Binky wurmt zijn hoofd tussen vader en dochter in, alsof hij wil zeggen; ik ben er ook nog.

'Mocht je naar me toe?' vraagt Stuivenvolt.

Voordat Anne-Linde kan antwoorden, stapt Elles plotseling naar voren. 'Er is nog meer geheim bezoek.' Ze draait zich om en loopt een meter of twintig bij de groep vandaan.

Nieuwsgierig wachten ze de komst van de geheime gast af die zich verdekt achter bomen heeft opgesteld.

Elles komt terug met een elegant geklede vrouw.

Anne-Linde verstrakt. 'Mama, wat doe je hier?'

Er ontstaat een ongemakkelijk situatie.

De vrouw is duidelijk geëmotioneerd.

Stuivenvolt doet een stap naar voren en schudt zijn ex vrouw de hand, terwijl hij iets onverstaanbaars mompelt.

Een geweldig gebaar, vinden de anderen. Door haar heeft hij veel verdriet gehad.

Liza had het niet vreemd gevonden wanneer Stuivenvolt haar de huid vol zou schelden. Tenslotte heeft ze hem veel aangedaan.

'Jullie kennen het verhaal van Anne-Linde, Reitze en mij. Jullie weten wat ik veroorzaakt heb. De laatste dagen ben ik dat pas gaan inzien. Ik schaam mij diep. Na al die jaren, is er nu eindelijk inzicht.' Haar stem hapert. Ze is, net als Anne-Linde en Stuivenvolt, geëmotioneerd. 'Ik heb jullie pijn gedaan. Ik heb lang nagedacht, maar weet nu waarom ik dat deed. Vanaf het moment dat Anne-Linde geboren werd, was de band tussen Reitze en Anne-Linde veel sterker dan die ze met mij had. Dat vond ik moeilijk te verkroppen. Toen je kon lopen, ging je altijd met hem mee. Jullie waren twee handen op één buik. Na de scheiding was mijn angst groot dat ik je zou verliezen. Dat je liever bij je vader wilde blijven. Om dat te voorkomen heb ik leugens verteld en zorgde er voor dat je hem nooit meer zag. Het spijt me.' Ze verbergt haar gezicht in haar handen. Haar schouders schokken. 'Dit had ik nooit mogen doen.'

Reitze Stuivenvolt slaat heel even een arm om haar heen. 'Jouw woorden voelen als een geschenk,' fluistert hij. 'Ik ben er blij mee.'

'Het spijt me zo.' huilt ze.

Anne-Linde voelt al haar boosheid wegvloeien en slaat verlegen een arm om haar moeder.

Dat er door Femke veel foto's gemaakt worden, hebben ze niet door.

Het is een prachtig moment, dat met geen pen te beschrijven is.

'We laten jullie even alleen,' lacht Elles. 'Straks in het clubhuis gaan we cadeaus uitpakken.'

HOOFDSTUK VIERENDERTIG

Gelukkig

Het is kerstnacht. Liza ligt in bed, maar kan niet slapen.
Het onverwachtse bezoek van Anne-Lindes moeder is ontzettend belangrijk geweest.
Stuivenvolt kon maar niet geloven wat hem overkomen was.
Kees Middeldam had namens zijn zoon cadeaus gebracht,
die door Elles onder de kerstboom zijn gelegd. Anne-Linde is
hij niet vergeten. Ook zij kreeg, net als de anderen, een coole
muts. Gemaakt door een boerin die de wol van haar eigen
schapen daarvoor gebruikt heeft.
Overigens heeft Daan Middeldam geen aangifte gedaan
bij de politie met betrekking tot de diefstal van de kerstbomen. De jongens hebben spijt betuigd en aangeboden om de
komende weken in hun vrije uren te helpen op het bedrijf
van Daan totdat hij zelf weer honderd procent kan werken.
Na lang wikken en wegen is hij op dat voorstel ingegaan.
Dit is het mooiste kerstfeest ooit.
Als Liza uren later eindelijk in slaap valt, droomt ze dat haar
moeder lachend de slaapkamer binnenkomt.
'Liza wakker worden. We hebben een verrassing.'
Liza schrikt wakker. 'Geheim bezoek?' mompelt ze.

Ze knipt het licht aan.
Er staat niemand in haar kamer.
'O, gelukkig, ik kan geen geheim bezoek meer zien.'
Ze draait zich op haar andere zij en valt weer in slaap.